taut

L'HISTOIRE D'AMOUR
DE
LA ROSE DE SABLE

ŒUVRES DE H. DE MONTHERLANT

LA JEUNESSE D'ALBAN DE BRICOULE

Le Songe. roman, 1922. *(Grasset).*
Les Bestiaires, roman, 1926. *(Grasset).*

LES VOYAGEURS TRAQUÉS

Aux Fontaines du Désir,1927. *(Grasset.)*
La Petite Infante de Castille, 1929. *(Grasset).*

LES JEUNES FILLES

★ Les Jeunes filles, roman, 1936. *(Grasset).*
★★ Pitié pour les femmes, roman, 1936. *(Grasset).*
★★★ Le Démon du bien, roman 1937. *(Grasset).*
★★★★ Les Lépreuses, roman, 1939. *(Grasset).*

La Relève du matin, 1920. *(Grasset).*
Les Olympiques, 1924. *(Grasset).*
Mors et Vita, 1932. *(Grasset).*
Encore un instant de Bonheur, poèmes, 1934. *(Grasset).*
Les Célibataires, roman, 1934. *(Grasset).*
Service inutile, 1935. *(Grasset).*
L'Équinoxe de Septembre,1938. *(Grasset).*
Le Solstice de Juin, 1941. *(Grasset).*
Textes sous une occupation (1940-1944), 1953. *(Gallimard).*
La Vie amoureuse de Monsieur de Guiscart (ouvrage composé des chap. IV et V de *l'Histoire d'amour de* La Rose de Sable) 1946. *(Presse de la Cité),* édition à tirage limité, avec des pointes sèches et burins de Jean Traynier.
Pages Catholiques, 1947. *(Plon).*

Théâtre

L'Exil, 1929. *(Ed. du Capitole).*
La Reine morte, 1942. *(Gallimard).*
Fils de personne. — Un Incompris, 1943. *(Gallimard).*
Malatesta, 1946. *(Gallimard).*
Le Maître de Santiago, 1947. *(Gallimard).*
Demain il fera jour. — Pasiphaé, 1949, *(Gallimard).*
Celles qu'on prend dans ses bras, 1950. *(Gallimard).*
La Ville dont le prince est un enfant, 1951. *(Gallimard).*

HENRY DE MONTHERLANT

L'HISTOIRE D'AMOUR
DE
LA ROSE DE SABLE

roman

PARIS

LIBRAIRIE PLON

LES PETITS-FILS DE PLON ET NOURRIT

Imprimeurs-Éditeurs - 8, rue Garancière, 6°

AVANT-PROPOS

Le roman *La Rose de Sable*, commencé en mars 1930, fut achevé en février 1932. Hormis deux chapitres, écrits à Paris (ici les chapitres IV et V), il avait été composé en entier à Alger. C'était alors l'ouvrage le plus long que j'eusse écrit, puisqu'il comprend près de huit cents feuillets manuscrits, qui font cinq cent quatre-vingt-sept pages dactylographiées.

Le sujet de *La Rose de Sable* est — à travers le problème indigène en Afrique du Nord — la question coloniale.

Les raisons pour lesquelles, depuis plus de vingt ans, j'ai gardé cette œuvre au tiroir n'existent pas en ce qui concerne l' « histoire d'amour » qui en constitue une partie. L'intrigue amoureuse du roman ne touche pas aux problèmes politiques, ou n'y touche qu'indirectement.

C'est elle, et elle seule, qu'on trouvera ici. Les deux cent cinquante pages dactylographiées qui forment le manuscrit du présent volume ont été prises dans *La Rose de Sable*, où elles étaient coupées de place en place par l'autre intrigue

— politique — de l'ouvrage. A la demande de l'éditeur de *l'Histoire d'amour de* « la Rose de Sable », j'ai, en six endroits, rédigé de courts raccords, qui tentent de faire de ces pages un récit d'un seul tenant, qui puisse presque se suffire.

Le lecteur ne devra pas oublier dans quelles conditions le présent volume a été construit.

Il devra réaliser aussi que *La Rose de Sable*, composée un an avant la composition des *Célibataires*, est mon premier « roman-roman »; je veux dire : le premier roman où, sortant des constructions uniquement lyriques du *Songe* et des *Bestiaires*, j'essaie de créer des personnages qui soient autre chose que moi.

La Rose de Sable dans son intégralité — les cinq cent quatre vingt-sept pages de son manuscrit dactylographié — paraîtra peut-être un jour, si les temps s'y prêtent, l'auteur vivant ou mort. Qu'il soit bien entendu que seule cette publication-là, si elle existe jamais, aura le droit de porter le titre de *La Rose de Sable*. Le présent ouvrage, encore une fois, n'est qu'une partie de *La Rose de Sable* — moins de la moitié du texte de *La Rose de Sable*, — arrangée récemment en vue d'une édition déterminée, édition qui ne contient pas l'idée maîtresse de *La Rose de Sable*, et qui risque d'ailleurs de n'avoir qu'un caractère temporaire. Je m'élève d'avance contre toute équivoque qui pourrait être créée là-dessus.

Paris, novembre 1953.

L'HISTOIRE D'AMOUR
DE *LA ROSE DE SABLE*

I

Lucien Auligny avait atteint déjà l'âge de sept
ans, l'âge « de raison », qu'il ne semblait pas
encore réaliser que dans le plan divin il était
inscrit pour général de brigade. Mais bientôt sa
mère — la noble fille du général Pétivier — se
chargea de lui monter la tête sur tout ce qui
touche à l'armée. En 1921, il entrait à la « rue
des Postes » de Versailles.

Crise religieuse, crise sentimentale, crise sexuelle,
tout cela lui avait épargné. Il avait été un bon
enfant, doux, sensible, appliqué, de ceux dont on
écrit, s'ils meurent, dans le bulletin de l'association des anciens élèves : « Tout de suite il commença
de se faire aimer de tous ceux qui l'entouraient, »
ou encore : « Très droit, très bon, toujours prêt à
rendre un service, son équilibre moral était excellent, » et autres formules magiques, qui trans-
forment la médiocrité en un Himalaya de vertus.
Lucien dompta les x deux années durant, qui devaient rester dans sa mémoire comme les pires de

sa vie (il est dangereux que l'énergie soit liée pour vous à de si sombres souvenirs), et enfin fut reçu à Saint-Cyr. Le rang n'était pas brillant.

Auligny fut nommé sous-lieutenant dans un régiment d'infanterie, et tout de suite aima son métier. La vie de garnison lui donnait la même détente qu'avait goûtée son père en prenant sa retraite. Son caractère se stabilisa, et voici à peu près qui était le lieutenant Auligny, après sept ans de service et trois garnisons, aujourd'hui lieutenant à deux galons au N^{eme} régiment d'infanterie à M...

Sa culture était nulle. Sa connaissance et sa compréhension du monde, dans ce qu'il est *réellement*, étaient nulles. Son sens pratique, son esprit d'initiative, son « débrouillage » étaient moyens. Sa sensualité était moyenne. Sa religion était celle des gens de son milieu : posée sur lui, sans racines.

Ses qualités étaient d'indéniables connaissances professionnelles, le sérieux, une honnêteté autrement plus pure que celle de son père, un scrupuleux sentiment de son devoir, et — il est à peine besoin de le dire, tant cette vertu est commune sous l'uniforme — une acceptation entière des sacrifices qu'il peut exiger, y compris le sacrifice total.

Auligny n'était pas un homme intelligent. Ce n'était pas même un officier distingué. C'était un bon officier, destiné normalement à être touché par la limite d'âge comme chef de bataillon.

Il y avait cependant chez lui quelque chose de remarquable, mais qu'on remarquait peu, parce qu'il n'en faisait pas étalage, et parce que la société n'accorde pas de valeur à cette disposition : c'était une délicatesse très grande de sensibilité, tant émotive que morale. Elle allait de simples phénomènes nerveux à apparence morale (fausse pitié, générosité d'imagination, etc...) jusqu'à une vision des choses, portée de sang-froid, où les droits, les torts, les mérites, les souffrances des hommes étaient discernés avec une acuité exceptionnelle, d'où naissait ensuite une mesure exacte des obligations qu'il se sentait envers eux, et un sens ombrageux et obsédant de la justice qui leur est due.

Voici quelques traits extrêmes de cette sensibilité.

Sa journée était inquiétée, gênée, si, de sa fenêtre, et cela depuis quarante-huit heures, il voyait sur l'échafaudage d'une maison en construction— abandonnée parce que les maçons s'étaient mis en grève — un chat que ces maçons avaient apporté là par plaisanterie, qui n'en pouvait descendre, et qui allait crever de faim si la grève se prolongeait. Et Auligny avait vingt-huit ans !

S'il avait quelque emplette à faire chez le chemisier, il allait chez certain chemisier, pourtant plus éloigné que ses confrères, simplement parce que cet homme était si aimable ! Si une fleuriste, tandis qu'il cherchait quelles fleurs ajouter à un bouquet, lui disait : « Je peux vous mettre encore ceci ou cela, mais vous savez qu'avec ce que vous avez choisi vous avez déjà quelque chose de très bien », pendant des années il retournait chez cette fleuriste, bien qu'il y eût chez elle moins de choix

que chez d'autres, pour la récompenser de n'avoir
pas poussé à la dépense.

Si, dans la rue, un passant lui souriait, parce
que tous deux avaient remarqué en même temps
quelque chose de ridicule, ou parce que le lieutenant avait été frôlé par une automobile, cela
lui était bon. Dans un théâtre, une assemblée, un
compartiment de chemin de fer, un homme qui
avait une figure « intéressante », un jeune ménage
« sympathique », il était pris soudain d'une telle
envie de faire leur connaissance que, si cela n'était
pas raisonnable, il souhaitait alors que le spectacle finît, ou qu'ils descendissent du train, pour
que ce fût un cas de force majeure qui l'empêchât
de lier conversation avec eux. Ou bien encore, si
quelque personnage qui lui écrivait d'ordinaire :
« Mon cher lieutenant » lui écrivait une fois :
« Mon lieutenant », le personnage avait beau lui
être indifférent au possible, il en recevait une
petite meurtrissure : « En quoi ai-je démérité? »
Ou bien encore, à M…, dans le square de la cathé-
drale, où chaque soir il allait attendre sa petite
amie, si, assis sur un banc, et la main posée
sur le fil de laiton qui passait derrière le banc,
séparant l'allée de la plate-bande, quelqu'un
— homme, femme, enfant, n'importe, — à l'autre
bout du square, faisait remuer ce fil, il avait une
bouffée d'émotion, et il laissait sa main là, ba-
lancée par cette main inconnue.

Cette sorte de sensibilité n'a guère son emploi
dans la carrière des armes ; il est même naturel
qu'elle y puisse devenir une gêne, et c'est ce qui
était arrivé quelquefois pour Auligny. Elle avait

un peu émoussé en lui le mordant nécessaire au chef. Auligny devait se forcer pour prendre le ton du commandement, que dans la partie la plus secrète de lui-même il jugeait un peu ridicule. Il se mettait toujours à la place de ses hommes, tendance dangereuse chez un chef, militaire ou civil. Aussi était-il porté à les commander sur le ton de la conversation, à leur expliquer ses ordres, à causer, voire à plaisanter avec eux. Il n'aimait pas punir. Il n'aimait pas exiger d'eux des efforts qui ne lui paraissaient pas indispensables. Il se demandait sans cesse : « Comment me jugent-ils? » Cette bonhomie était cependant corrigée par son beau sens de la justice : il eût cru qu'il punissait les bons en étant faible à l'égard des méchants. Il reste bien probable, néanmoins, que si Auligny n'avait pas été galvanisé par sa mère, il eût choisi un autre métier que celui de soldat. Pas d' « en avant » en lui, pas de goût vraiment inné pour le risque, pas de goût pour l'autorité, pas de goût pour le prestige, qu'il traitait d'épate. Le sens le plus pur du *devoir* et de l'*honneur* militaire, mais des images un peu faibles de la *gloire* militaire, et une croyance assez peu militaire que l'acte de se faire tuer ne suffit pas...

Auligny n'était pas cocardier. Et cependant, plus nous avancerons dans ce récit, plus il nous apparaîtra que l'une de ses deux passions dominantes était le patriotisme. Est-ce à dire qu'il avait un patriotisme intelligent? Non pas. Sa xénophobie forcenée, mais surtout son ignorance crasse de l'état du monde à notre époque, et de la situation réelle de la France dans le monde,

obligeaient son patriotisme à se contenter et se
mécontenter de riens : un sentiment de bonne qualité, mais sans communication aucune avec l'intelligence.

Mme Auligny parlait souvent, avec dépit, du
« côté Auligny » de son fils. Quelquefois, mais en
souriant, elle parlait de son « côté petit garçon ».
On a toujours remarqué qu'il y a quelque chose
d'enfantin dans le caractère des militaires. Chez
Auligny cela perçait sensiblement. Il suffisait d'entendre le ton de son « Bonsoir, madame » quand
il passait devant la concierge de sa maison, ou de
le voir écrire : « Ma chère cousine » à une de ses
cousines, de peu son aînée, que tout homme à sa
place eût appelée par son prénom, comme elle-
même l'appelait Lucien, pour sentir en lui une
juvénilité demeurée au delà de la jeunesse (il
nous paraît que la jeunesse de l'homme se termine
au seuil de la vingt-huitième année). Au fumoir,
quand un officier de son âge et de son grade, mais
qui n'était pas tout à fait un compagnon habi-
tuel, arrivait en retard à table, on voyait Auligny
se lever, seul de tous, comme s'il s'agissait d'un
supérieur. Ses supérieurs, n'en parlons pas : devant
eux, s'ils parlaient un peu sec, il perdait ses
moyens. On plaisantait de tel de ses mots, comme :
« Moi, député? J'en aurais été bien incapable ! »,
où il y avait peut-être de la naïveté, mais surtout un scrupule et une exigence à l'égard de soi-
même qui étaient d'une jolie nature. Et il arrivait
qu'à une table de restaurant, quand ses parents
allaient le voir à M..., il eût un certain élan, si
sa mère proposait qu'on choisît tel plat, pour

répondre : « Oh oui ! j'aime tant ça ! », ou certaine
façon de tremper le bout du petit doigt dans le
café, pour s'assurer qu'il n'était pas trop chaud,
qui provoquaient chez Mme Auligny des sourires
et des regards en dessous, adressés au garçon ou
aux dîneurs voisins, et qui signifiaient : « Dites-
moi qu'il est délicieux ! » Ces sourires quéman-
deurs sont plutôt le fait des jeunes mères, quand
leur bébé brait comme un âne, ou cagaye sur leurs
genoux, exploits qui, aux yeux d'une jeune mère,
doivent provoquer dans l'assistance un attendrissement et un enthousiasme dénués de la plus
légère réserve.

Il faut marquer enfin qu'il n'était aucune des
qualités, aucun des défauts les plus caractérisés
du lieutenant Auligny, qu'à maintes reprises il
n'eût démenti par la qualité ou le défaut opposé.
Ce tendre avait été dur pour bien des êtres, et
notamment (cela va sans dire) pour ses parents.
Ce passionné de justice s'était buté dans de me-
nues mais flagrantes injustices, qu'il n'apercevait
pas. Ce mol, à ses heures, avait montré de l'énergie. Ce généreux était plein de petitesses. L'homme
est, d'abord, un animal inconséquent ; il ne paraît
conséquent que lorsqu'il s'est « arrangé » pour la
galerie. Les caractères qui se tiennent n'existent
qu'au théâtre et dans les romans.

A vingt-sept ans (1931), Auligny n'était pas
marié. Là encore on voit ses scrupules. Il se faisait
du mariage une idée telle, que son intention était
de ne pas tromper sa femme (sauf dans le cas d'une
« grande passion », que d'avance il se permettait).
Il voulait donc choisir à coup sûr. Et puis, de

même qu'il ne se sentait pas assez malin pour
être député, il ne se sentait pas assez de maturité
pour être un bon père. Sa mère l'excitait au mariage ; il résistait par la force d'inertie. Il était alors
en garnison à M…, où il avait *la bonne vie*. Un
colonel charmant ! Des camarades charmants ! Une
petite amie charmante !

Au début de 1931, Mme Auligny, voyant qu'il
se roidissait pour rester garçon jusqu'à la trentaine, songea à mettre à profit ces trois années en
le faisant envoyer au Maroc. Bien entendu, ce
n'était pas la première fois qu'elle y songeait, mais
toujours il avait accueilli cette idée sans empressement, et cette fois encore il fit la sourde oreille :
il se trouvait très bien à M… Mme Auligny, exas-
pérée par ces apparitions du « côté Auligny » dans
le caractère de son fils, entreprit une double action : des intrigues, qu'elle lui cacha, pour le faire
nommer au Maroc, et un gonfling marocain analogue au gonfling militaire qui avait si bien réussi
quinze ans plus tôt. Et les résultats furent les
mêmes que naguère : Auligny, pris en main par
sa maman, se trouva après quelques mois dans
une disposition toute classique : il fut le jeune
lieutenant rêvant de la vie de colonne, du *baroud*,
de la croix. Il y avait d'ailleurs mis beaucoup du
sien, s'était monté la tête systématiquement,
pillant la bibliothèque du cercle, la bibliothèque
municipale, de tout ce qu'il y avait rencontré qui
eût trait à l'Afrique du Nord, prenant des notes,
ne vivant que parmi les héros sahariens, et même
s'efforçant de se donner une teinte de la langue
arabe.

Mme Auligny fit des pieds et des mains, tricota comme écureuil en cage, et, après six mois de ses manèges, Lucien reçut son ordre de route pour Casablanca.

Il apprit là qu'il était muté comme chef de poste d'un détachement de tirailleurs à Birbatine, petit ksar (village) de la région dite des Confins, en plein désert, proche la frontière du Maroc et de l'Algérie.

Il rejoignit son poste. Le pays, en ce début de l'an 1932, était calme. A Birbatine, les seules personnes avec qui Auligny pût avoir un certain commerce étaient l'adjudant Poillet, le sergent Otero, l'un et l'autre ses subordonnés, et un indigène tunisien établi marchand de bimbeloterie à Birbatine, Yahia.

Un peu moins de trois semaines après son arrivée, Auligny perçut un vide devant lui. Il avait épuisé tout le travail possible ; pour le « courant », il n'y avait qu'à s'en remettre à Poillet. Exactement, il n'avait *rien à faire*. Petite phrase banale, — et tragique.

Il n'était pas chasseur : les excursions à la guelta (le gué) avaient perdu pour lui l'amusement de la nouveauté. Pousser son cheval au hasard, dans un désert monotone, lui semblait sans attrait. Les livres? Ceux qu'il avait apportés, il les connaissait par cœur, c'étaient ses livres de chevet, les Mémoires de Foch, les lettres de Lyautey, les romans, qui firent du bruit en leur temps, d'un lieutenant tué à la guerre. Enfin n'oublions pas un volume du Théâtre choisi de Racine. Car le lieutenant Auligny rendait un culte à Racine.

Ce culte de Racine avait une histoire.

Lorsqu'il avait pris sa retraite, M. Auligny le père avait senti que les temps étaient venus de s'enjoliver l'intellect. Le désœuvrement lui avait fait feuilleter le vieux La Fontaine dont il usait au collège, et, étant tombé sur l'épitaphe du fabuliste : *L'une à dormir, et l'autre à ne rien faire,* cet idéal de vie lui avait semblé une telle justification de la sienne qu'il avait connu que La Fontaine était fait pour lui.

Bientôt cela prit tournure de manie, il professa de vieux jugements vulgaires, qu'il avait lus partout, mais qu'il croyait, en toute bonne foi, être l'expression de sa propre pensée, et qui lui paraissaient ravissants de nouveauté et d'imprévu : « C'est à notre âge seulement que l'on comprend l'inimitable bonhomme. » Bref, il fit subir à La Fontaine la prodigieuse transfiguration que peut accomplir un nigaud sur la personne d'un auteur homme d'esprit. Il apprit des fables par cœur, émailla ses propos de citations, qu'il « amenait » avec une stratégie d'Indien, et fit de son volume un objet fort étrange. Il l'annota avec munificence, non pas, bien entendu, de réflexions qui lui fussent personnelles, mais de notes copiées dans une autre édition, notes dont il laissait croire qu'elles étaient de lui. Il souligna aux crayons de couleurs différentes (volés à son bureau), et à la règle (minutie de rond-de-cuir), les vers qui l'enchantaient le plus, et colla avec du papier gommé, en regard de chaque page où un nom de lieu était cité, une carte postale représentant une vue de

cet endroit ; c'était aux curés desdits lieux qu'il
écrivait pour leur demander ces cartes postales,
et sur l'enveloppe il mettait toujours : « M. le Curé-
Doyen », tant l'administration lui avait fait une
seconde nature de l'habitude de flatter. Au terme
de ce grandiose travail, le La Fontaine, gonflé
comme un herbier, était à peu près ce que serait
un La Fontaine annoté par un enfant de quatorze ans un peu avancé pour son âge.

Ce volume, que M. Auligny montrait à tout
venant, avec une fierté rayonnante, imposait à
beaucoup de personnes parmi les relations des Auligny ; il les portait à croire que M. Auligny allait
avoir « une belle vieillesse », et comme une réplique
petit-luxe de ce qu'on appelle dans les Hautes-
Sphères-Pensantes une « vieillesse gœthéenne ».
« Dites-moi que j'ai une vieillesse gœthéenne ! »
supplie le vieil homme de lettres, qui sent que
la fin approche. Et nous le lui disons volontiers,
dans un bêlement révérentiel : « Vous être notre
Gœœœthe » (s'il ne faut que cela pour lui dorer
la pilule de l'agonie). Lucien Auligny, lui aussi,
avait été frappé de respect pour cette manifesta-
tion intellectuelle de son père, si imprévue, et,
ayant flairé que la religion de Racine était un
brevet bien plus sûr encore — indiscutable ! —
de distinction d'esprit, il emporta son Racine de
collège dans sa garnison, et commença de le faire
voir sans en avoir l'air. Il devint bientôt de « ceux
à qui Racine suffit » (Sainte-Beuve) (1), et automatiquement, par ce moyen si simple, franchit

---

(1) Sainte-Beuve le dit avec raillerie.

l'échelon et compta dans l'*élite*, du moins à ses propres yeux.

Bien entendu, étant ce qu'il était, il n'éprouvait nul plaisir aux vers de Racine. On veut dire : nul plaisir spontané. Mais, au second degré, un sentiment pour lequel le mot de plaisir est trop trivial ; celui d'extase seul lui conviendrait. En effet, la France est le premier pays du monde. Et Racine est le premier poète français. Les plus beaux vers de Racine (dont la liste a été arrêtée une fois pour toutes et se trouve dans tous les manuels de littérature) sont donc — indiscutablement ! — la quintessence de l'esprit humain, la pointe extrême de ce que l'esprit humain peut produire dans la beauté. Assuré de cela, Auligny sentait que lorsqu'il prononçait : « La fille de Minos et de Pasiphaë » ou « Dans l'Orient désert quel devint mon ennui ! », quelque chose en lui s'agenouillait. Il eût probablement rompu une amitié de vingt ans avec quelqu'un qui lui eût dit, par exemple, qu'il était victime d'une auto-suggestion collective, d'ailleurs passionnante à étudier en tant que phénomène de psychologie sociale ; mais personne, bien sûr, ne le lui eût dit ; on ne se coule pas de gaieté de cœur. Dans son volume de Racine, Auligny avait élu deux pièces, *Bérénice*, parce qu'elle était celle qui l'ennuyait le moins, et *Athalie*, parce que c'est le chef-d'œuvre — indiscutable ! — de Racine ; et, se mouillant l'index, il avait sali le coupant des pages correspondant à ces œuvres, qui se détachait ainsi en sombre au milieu de la tranche claire, ce qui avait pour but de montrer à quel point il était pénétré de ces deux pièces.

Ainsi faisaient ses aînés, quinze ans plus tôt, avec
les pages du *Mystère de Jésus*, dans leur volume
de Pascal. Mais Pascal peut résister même à l'admiration des sots. Il semble que Racine soit un
peu plus vulnérable.

Tels étaient les livres apportés par Auligny au
désert. Quant à la « bibliothèque » du poste,
œuvre de son prédécesseur, le lieutenant Ménage,
elle ne comprenait que des romans populaires ou
policiers à vingt-cinq sous.

Quel recours lui restait-il? User, abuser du pouvoir impérial qu'a dans un poste du Sud le moindre
petit gradé? Le sentiment de toute-puissance,
voire d'impunité, qui dévergonde un si grand
nombre d'Européens, non seulement dans le Sud,
mais sitôt qu'ils mettent le pied sur le sol de la
colonie, était aussi éloigné que possible d'Auligny :
l'idée d'une puissance personnelle ne le touchait
que dans la mesure où il se sentait représenter la
France. Le projet d'une monographie saharienne
en collaboration avec Yahia l'arrêta un moment,
mais enfin ne servit qu'à lui montrer ce dont maintenant il se rendait compte : le pays ne l'intéressait
plus. Il avait pu donner l'illusion d'une certaine
chaleur pour les choses indigènes. En fait, c'était
par délicatesse qu'il avait pris quelquefois le parti
des autochtones, plus que par sympathie. « Tout
bien pesé, qu'avons-nous à prendre à l'Islam?
Son thé à la menthe, la coutume d'enlever ses
chaussures le plus possible, et la licence de roter
en public. »

Il écrivit à sa mère : « Je suis venu au Maroc
— sur votre désir — pour me battre. Si c'était

pour mener une vie dont l'occupation principale
est d'aller constater le progrès des travaux du
potager, j'étais mieux dans une ville charmante
comme M..., avec des amis, des distractions, plutôt que dans ce bled informe. »

En même temps, il avait honte de soi. « Un
autre ne se plaindrait pas. Il est possible que je
manque de caractère. » Et ce Ménage dont il se
moquait, et qui était resté ici deux ans et demi !
C'était un saint ! « Il faut être juste : Ménage
savait se créer des intérêts. Il a fait sortir du sable,
près du point d'eau, ce jardin potager qui est un
petit tour de force. Moi, je n'y connais rien aux
potagers, et j'ai confié cela à un gosse du ksar.
Naturellement, le jardin périclitera. »

Mais aussi, pourquoi tenter quelque chose, puisqu'on n'était pas soutenu? Les réponses à des
notes qu'ils avait envoyées étaient arrivées. Il
n'y avait pas actuellement de sérum à L... ; on en
enverrait quand il y en aurait. Touchant l'utilité
d'un vétérinaire, elle ne se faisait pas sentir. Au
sujet d'un thermomètre demandé on ne répondait
même pas.

Le vingtième jour de la présence d'Auligny à
Birbatine, la visite du colonel fut annoncée pour
le surlendemain. Mais, le surlendemain, le colonel
n'était pas avec le convoi. Nouvelle petite contrariété.

Ces ennuis furent accompagnés d'une éclosion
de bobos, choc en retour du passage au climat
saharien. Le vent de sable irrita sa gorge et fit
saigner son nez, le grand air lui donna un orgelet,
dessécha, fendilla ses lèvres, où germèrent ensuite

des boutons pareils à ceux de la fièvre ; la fièvre elle-même vint, tous les soirs, et la quinine entra en action. Tous les hommes de l'armée d'Afrique ont connu ces heures d'*acedia* saharienne. Pour se remonter, ils boivent. Mais Auligny n'était pas buveur.

Ce soir où le lieutenant cassa le verre de sa lampe, où nulle part on n'en trouva d'autre, ni dans le bordj ni dans le ksar, où Poillet opina qu'en en demandant un à L... il faudrait un mois pour l'obtenir, et où Auligny, devant la lueur agonisante d'une bougie, de dégoût, à huit heures, se mit dans ses draps, ce soir-là, pour la première fois depuis trois semaines, son cafard se cristallisa autour d'une conclusion unique : « J'ai vingt-huit ans, et pendant deux ans et demi, — jusqu'à la trentaine passée ! — je ne vais connaître de femme qu'une vieille putain arabe du dernier acabit, cette Ftoum qui sert à tous mes hommes. » Il remâcha cette découverte pendant une heure. Après quoi, enragé, non dans son corps, mais dans son esprit, il se tira du lit, et alla appeler Ftoum. Pour s'excuser il se disait : « Ma continence prolongée provoquerait des cancans, dans ce bordj où tout se sait. »

Sinistre demi-heure d' « amour » ! La lueur tremblotante de cette bougie, et cette femme fanée et grossière, avec son grigri sur le ventre, pour rester inféconde, et ses commentaires sur la façon dont elle se faisait avorter, en s'accroupissant sur de la fumée de charbon de bois... Mais en un sens tout cela fit du bien à Auligny. « Désormais il est acquis que je ne retournerai jamais avec cette créature. Et comme je ne veux pas devenir fou, il faut chercher ailleurs. Yahia me dit que Birbatine a six cents habitants, — les femmes non comptées. Mettons qu'elles soient quatre cents, cela fait combien de gamines? De toutes façons, où que cela m'entraîne, il faut que cela se fasse. » Auligny s'endormit calmé. Il n'était plus un malheureux qui n'a *rien à faire*. Il avait un but. Il était donc sauvé.

Le lendemain, Auligny fit le tour du ksar, furetant comme un chat qui va à la découverte d'une maison nouvelle où ses maîtres viennent d'emménager.

Les indigènes, couchés ou assis, se levaient sur son passage et faisaient le salut militaire, et Auligny, tant il était bonhomme, devait se contraindre pour ne pas leur dire : « Restez donc assis… » Des chiens, sur les toits, l'accueillaient de leurs aboiements, et leurs voix dissonantes, s'élevant de toute l'agglomération, y mettaient un vacarme de volière. Sur les toits, aussi, des poules, un bélier, un chameau tournant une noria. De vieilles négresses affreuses filaient la laine à la porte des maisons. Des petits garçons aimés des mouches, négroïdes aux mollets presque bleus, des petites filles impubères, qui se glissaient dans les cases, craintivement, à son approche, mais qu'il retrouvait un peu plus loin, car la curiosité les avait fait ressortir, et ils s'enfuyaient de nouveau en l'apercevant, comme s'ils jouaient avec lui à cache-cache. La bouche sèche, butant contre la pierraille, il se disait : « C'est mon uniforme qui me gêne. Elles ont peur. » Civil, il eût soupiré : « Ah !

si j'avais l'autorité de l'uniforme ! » Pas une jeune
femme (et pourtant, au crépuscule, il avait vu
leurs robes crûment coloriées, sur les terrasses
jaunes). Au milieu d'un cercle, un conteur, assis
sur une pierre. Plus élevé que les auditeurs accrou-
pis, il parlait avec les yeux baissés, à croire, au
premier coup d'œil, que c'était un aède aveugle ;
et dans le cercle, souvent renouvelé, jamais une
femme. Près du puits, seulement, il rencontra un
lot de fillettes, et d'adolescentes déjà mûres pour
l'amour. Mais son admirable délicatesse fut plus
forte que son désir. Ailleurs, quand il croisait des
petites, elles pouvaient s'enfuir. Ici, les unes em-
barrassées de leurs jarres pleines, les autres attendant leur tour, il fallait bien qu'elles restassent
là, sous son regard. Et Auligny répugnait si fort
à abuser de cette situation qu'il passa sans s'arrêter.

L'après-midi, après la sieste, il alla à cheval à
la palmeraie.

Elle était dévorée par les mouches — des
mouches minuscules et bleues — qui en débor-
daient aussi, lui faisant à l'extérieur comme un
barbelé de vies dégoûtantes. Des nègres, presque
nus, la corde attachée aux reins, tiraient de l'eau,
avec des cris sans nom qui leur donnaient de
la force. En deux heures, Auligny n'y aperçut
d'autres femmes que des fillettes cambrées, aux
seins menus, et des négresses arrachant des légumes. Mais en revanche des bandes de garçons,
accrocheurs, d'ailleurs polis, et portant toujours
à leur chéchia, qui une rose, qui un bouquet entier
de petites roses (et quelquefois, le plus petit, un

simple bouton de rose, comme il convenait à son
âge plus tendre), tandis que les fillettes n'avaient
pas de fleurs sur elles, comme s'il n'y avait que
les garçons qui cherchassent à plaire. Auligny, dès
les premiers jours, n'avait pas aimé la palmeraie.
Sa mauvaise humeur accrut son dégoût d'elle.
En France, il avait cru naïvement que dans les
oasis il y avait de l'ombre. Mais c'était là une
croyance tout à fait fausse, il n'y avait pas d'ombre,
ou il n'y en avait que dans les quantités réduites
évoquées par l'alexandrin fameux :

Rodrigue reposait à l'ombre de sa lance.

Et s'il arrivait qu'il y en eût quelque part une
petite tache à peu près dense, elle avait été repérée
déjà et était si bien constellée d'excréments qu'il
était impossible de s'y asseoir, ce qui montre que
ce n'est pas là une particularité des coteaux de
Meudon, et qu'il y a — quel repos pour l'esprit ! —
des lois universelles. Auligny avait cru aussi qu'une
oasis devait exhaler un parfum paradisiaque, et
il lui fallait reconnaître qu'il n'émanait de celle-ci
aucune odeur. S'il lui arrivait de regarder au
visage, sans y prendre garde, un homme ou un
enfant, l'indigène croyait qu'on demandait ses services et se précipitait. « Je ne peux quand même pas
marcher les yeux baissés, comme une nonne ! »
Il se prenait la figure dans de véritables nuages de
toiles d'araignées suspendues entre deux branches ;
il se piquait les doigts aux pointes acérées des
palmes ; des traverses à hauteur d'homme, barrant
les chemins encaissés, arrêtaient son cheval. Bref,
il n'en revenait pas, de combien le Bois de Bou-

logne est un endroit plus agréable et plus poétique
qu'une oasis, et de combien le bocage normand se
prête mieux à la douceur de vivre.

Auligny reçut une lettre de sa mère. Elle s'inquiétait s'il lui serait possible de *faire ses devoirs*
au moment de Pâques, et, pensant que non, lui
suggérait de demander une permission pour L...
à cet effet. En style bien-pensant, « faire ses devoirs » signifie communier. Il est singulier que,
pour l'acte *d'amour* le plus haut du catholicisme,
on emploie le mot *devoir* ; le style bien-pensant dit
« faire ses devoirs », pour communier, comme il
dit « rendre ses devoirs » à une maîtresse de maison, pour lui rendre visite : dans l'un et l'autre
cas, on dirait qu'il ne s'agit que d'une obligation
de politesse.

De la Sainte Table, Mme Auligny passait sans
transition à la table de ce monde, où elle voulait
que son fils fût copieusement servi. « Au moins,
t'es-tu fait bien voir de Mme Roger ? Tu sais ce
que je t'ai toujours dit, que c'est la femme du
colonel qui est l'objectif principal, plus encore
que le colonel. Ne peux-tu, même de Birbatine,
lui faire une politesse ? Songes-y. » Mme Auligny
demandait aussi à Lucien, sur ses états de service,
une note « détaillée et précise », qu'elle recopie-
rait, comme venant d'elle, et qu'elle remettrait
à un personnage important qui devait le « pis-
tonner ». Cette femme virile aimait l'argot, le
style poilu. Elle écrivait à son fils, par exemple :
« J'ai le cafard » ou « Mme X..., venue à mon jour,
s'est fait sonner dans les grands prix » ou « Cher
Lulu, sais-tu que tu es une rosse ! » Elle pensait

gagner la confiance de son fils en parlant ce qu'elle
croyait sa langue (qui n'était pas plus sa langue
que n'est la langue des bébés la langue que les
mères parlent aux bébés) : ainsi l'Arabe, pour
faire venir la gazelle, imite son cri. Et puis le
style poilu prolongeait un peu, dans la paix, cette
guerre qu'elle avait tant aimée.

Le lendemain matin, le lieutenant eut à faire,
et il ne pouvait appliquer son esprit à quoi que ce
fût. « Toute ma vie d'officier, ici, dépend de *cette
chose*, est suspendue à *cette chose*. Si je n'ai pas ce
que je veux, c'est l'obsession et je deviens fou.
Cela n'est pas beau, cela n'est pas glorieux, mais
cela *est*, terriblement, et comme tel il faut compter
avec. D'ailleurs, à la première visite du colonel,
je le lui dirai. »

Après déjeuner, sans même faire la sieste, il
retourna à la palmeraie. Cette heure méridienne
était celle de sa plus grande solitude : le matin,
les indigènes se rendaient aux jardins, au crépuscule ils en revenaient, portant des herbes, des
palmes, du bois mort, des racines, et les chemins en étaient peuplés. Auligny allait au pas de
sa monture, parmi des orchestres de mouches,
dans les chemins de vase pâle, et les troncs des
palmiers, et les poissons dans les seguias eux aussi
étaient couleur de vase pâle. Dans le vert poussié-
reux et jaunâtre des palmes, le vert des abrico-
tiers étincelait de jeunesse, vivifié encore par les
fleurs capucine des grenadiers. Les puits portaient
des cornes de bœuf, les jardinets des squelettes
de thorax ou de têtes de cheval, contre le mauvais
œil. Il y avait de petits étangs patibulaires, à l'eau

morte, d'un vert de poison, où parfois un serpent
nageait, la tête hors de l'eau, avec une vitesse
affreuse. Heureux chien, pensait Auligny, tout
abstrait dans son pousse-café de chien, c'est-à-dire
se léchant les parties, avec un air bon et pensif,
lui au moins il n'a de désirs que quatre fois par an !
Ce qui l'émouvait, c'était de voir un peu de cendres
au-dessous de trois pierres — là des êtres humains
étaient venus, et peut-être des femmes ! — mais
surtout la teinte bleuâtre de l'eau dans une aiguade :
là, sans nul doute, des femmes avaient lavé du
linge… peut-être du linge teint de leur sang… Il
fallait qu'il se rappelât bien cet endroit, pour y
revenir…

A un emplacement où, la veille, des petites filles
ramassaient des palmes et des branches, il les
retrouva. Mais cette fois il remarqua parmi elles
une silhouette qui la veille n'était pas là, et qu'il
jugea charmante. Une fille de quatorze ans environ,
aux seins nouveaux, aux épaules droites, aux
pieds puissants, avec des yeux à faire flamber une
botte de paille à dix mètres. Auligny arrêta son
cheval, et, interpellant la compagne immédiate de
cette belle enfant, lui posa, en arabe, la question
la plus sotte qu'il pût lui poser, puisque les Arabes
ne savent jamais leur âge : « Quel âge as-tu? »

La petite fit le salut militaire et répondit en
français :

— Oui, mon colonel.

Là-dessus les cueilleuses de branches se mirent
à rire, et la force de leur rire les pliait en avant,
comme le vent plie les rameaux. La grande, celle
qui plaisait à Auligny, riait, elle aussi, mais sans

bruit, discrètement, comme une aînée sérieuse. Son
rire n'était pas joli, car en riant elle abaissait les
coins de la bouche, mais Auligny l'aima, parce que
déjà il aimait tout d'elle. Il se baissa, et esquissa
le geste de toucher un bracelet qu'elle avait au
poignet. Elle recula d'un saut et dit (sans intonation de colère) quelque chose qu'Auligny ne comprit pas, et qui de nouveau fit rire les petites. Le
lieutenant, qui ne se sentait pas très aguerri au
flirt arabe, et en public, ne sut que dire, rit avec
elles, et poussa son cheval en avant.

« Eh bien ! pensait-il, si j'avais cela, je serais un
autre homme. Et pourquoi pas ? » A Fez, à L...,
on lui avait dit : « Tout dépend des contrées et
des gens. C'est une question de chance, bien qu'en
général, dans le Sud, il soit beaucoup plus facile
d'avoir une femme arabe que dans les villes. Dans
tel ksar cela vous sera impossible : vous vous
attireriez, et à nous, les pires ennuis. Dans tel
autre, au contraire , une famille sera très fière
que sa fille soit l'amie d'un officier ; elle considé-
rera que cela *valorise* l'enfant. »

Auligny rebroussa chemin. Seule du groupe, et
cette affectation d'indifférence lui parut d'un
excellent augure, elle ne se retourna pas quand il les
croisa. Sa décision fut vite prise. La petite devrait
bientôt rentrer au ksar. Or, elle ne pouvait faire
autrement que passer devant la boutique de
Yahia, située à quelques pas de la porte du ksar.
Auligny, quand il la verrait se mettre en route,
la devancerait avec son cheval, l'attendrait chez
Yahia, et, à son passage, s'informerait auprès du
Tunisien.

Ainsi fit-il. Yahia mit à la porte ses clients. Après quelques minutes, la jeune Arabe passa.

— Si Yahia..., dit Auligny.

Ce jour-là, il lui donnait du *Si*, qui est le titre que là-bas on donne aux lettrés et aux sages...

II

Le lendemain soir, Auligny sortit de chez Yahia, incapable de lutter contre la vague de mélancolie qui le submergeait. Tout était arrangé, en effet.

Tout était arrangé, si simplement, si rapidement... Et, comme quelques jours plus tôt, il se retrouvait devant un vide.

Elle s'appelait Rahma et Auligny n'aima pas ce nom, qui lui parut danse du ventre, Exposition coloniale, et dans son cœur il l'appela Ram.

Am stram dram
Pic et pic et comégram.

O souvenirs de l'enfance de sa sœur, et l'enthousiasmante bêtise des petites filles ! Ram avait un grand frère, Aziz, engagé au 4e spahis à Bou Denib, qui avait servi de cuisinier au bordj. Un petit frère encore gosselot. Le père était Regragui, brave homme, un peu simplet. La mère morte. Yahia, le matin même, avait vu Ram. Deux seules conditions : elle resterait vierge, — *frottir, pas cassir* est une maxime arabe, — et la chose se ferait dans le plus grand secret. Si son père l'apprenait, il « la taperait sensiblement ». Yahia n'avait jamais eu connaissance qu'elle eût des

relations avec qui que ce fût. (Auligny n'en crut
rien.) « Oh ! mais c'est que ce n'est pas du tout
une petite fous-le-camp-de-là-que-j'te-voie-plus. »
Yahia répéta plusieurs fois cette expression, témoignage irréfutable de sa *vieille culture française*.
C'était une bonne enfant, très sage et très dis-
crète, très satisfaite, au fond, d'avoir été remarquée
par le chef de poste. « Son grand frère a dû la
dégourdir. Elle parle bien le français. Le prédécesseur du sergent Otero faisait la classe aux gosses,
mais on n'a pas continué. Ah ! mon lieutenant peut
le dire, il a une aimée bien épatante ! »

Elle passerait chez Yahia, le lendemain, à une
heure. Mais où le lieutenant pourrait-il la rencontrer ? Rien de plus simple. Yahia possédait, aux
confins du ksar, un local qui lui avait servi de
resserre pour ses dattes, du temps qu'il en faisait
commerce. Ce logement, composé d'une courelle
et d'une pièce divisée en deux par une cloison,
avait deux entrées : l'une par la courelle, donnant
sur le ksar ; l'autre donnant directement, de la
pièce, sur le vaste fossé qui, de ce côté-là, bordait
le mur défensif du village. Yahia s'offrait à le louer
au lieutenant. A cette location le prétexte était
facile. Auligny, un peu fatigué par le changement
de climat, comme chacun le savait, louait cette
pièce pour pouvoir y aller lire, faire la sieste, etc...,
l'après-midi, hors du bordj toujours plein du va-
et-vient et du bruit des hommes, des gosses, des
courtisanes, des chevaux, voire des chameaux et
des autos-camions : en outre, la « maison Yahia »
était exposée au nord et possédait dans sa courelle
un figuier, situation autrement plus agréable, l'été

venant, que la chambre du bordj ouverte sur une
cour aride et à toute heure dévorée de soleil.
Bien entendu, la demeure officielle du lieutenant restait au bordj, où il se trouverait le plus
souvent, et où il avait l'obligation de passer la
nuit.

La « garçonnière » visitée, ils étaient revenus
chez Yahia. Sa maison comprenait elle aussi une
seule pièce, mais une pièce très « monsieur »,
meublée notamment d'un grand lit, d'une table
dominée par un rayon de livres, d'un lavabo en
fer, et d'une natte sur laquelle couchait le commis.
Le principal ornement en était, agrandie et enca-
drée, une photographie de Yahia, — Yahia en
homme important, le Nicham sur le cœur, tenant
dans sa main gauche des gants de peau, et dans
sa main droite un chapelet musulman. Le Nicham
avait été dessiné au crayon par Yahia, qui n'était
pas encore décoré à l'époque où la photographie
avait été faite. Mais personne ne remarquait cela,
parce que le pauvre monde ne doute pas plus des
photographies qu'il ne doute des journaux.

Auligny n'aurait pas aimé qu'on le vît là, dans
la chambre de ce Yahia, et il tremblait que le
commis ne parût. Si tout cela avait été à recommencer, il aurait agi de même. Mais il avait honte
de soi, honte de s'être mis entre les mains de cet
inconnu d'une race différente. « Il est vrai qu'il
est plus encore dans les miennes, à cause de cette
demande qu'il a faite pour être nommé instituteur-
adjoint dans son pays, demande que je peux faire
échouer d'un mot. » Ces calculs n'étaient pas d'une
haute élégance. Mais l'honnête homme qui n'en a

jamais fait de semblables lui jettera la première
pierre.

— Mais comme je vous remercie ! Comme je
vous remercie ! disait-il, d'une voix atone, à
Yahia qui venait de lui conseiller de donner à
Ram dix francs chaque fois qu'elle viendrait,
davantage risquant d'attirer l'attention. La modi-
cité de cette somme achevait de l'abattre. S'il y
avait eu, pour gagner cette enfant, des dangers
à courir, des obstacles à vaincre, il se fût senti
d'attaque. Mais devant une facilité si grande il
restait comme chancelant : avec la résistance qu'il
escomptait, un point d'appui lui était ôté.

Quand l'affaire parut réglée, — affaire est le
mot : cela s'était passé tout de même que s'il eût
acheté un cheval :

— Mon lieutenant, est-ce que vous êtes partisan des poésies? demanda Yahia à brûle-pour-
point.

— Mais... oui..., répondit vaguement Auligny,
interloqué, et devinant qu'il allait lui arriver
quelque chose d'épouvantable.

Yahia saisit, sur le rayon de livres, un paquet de
cahiers d'écolier.

— Voici des poésies arabes que j'ai recueillies,
et d'autres qui sont de ma composition. J'ai tra-
duit chaque vers arabe, en regard, et je voudrais
vous demander de revoir mon français, d'en cor-
riger les fautes.

Auligny, l'oreille basse, ouvrit un des cahiers,
et vit que partout la traduction était déjà sur-
chargée de notes, les unes au crayon, d'autres à
l'encre violette, d'autres à l'encre rouge, et quel-

quefois même celles à l'encre violette corrigeaient (avec points d'exclamation à la clef) celles à l'encre rouge. En effet, à chaque Français un peu cultivé qu'il rencontrait, Yahia demandait de revoir sa traduction, qui, de fraîche et savoureuse qu'elle était à l'origine, sous ces apports hétéroclites était devenue un monstre sans nom. Le lieutenant s'excusa de n'emporter, *pour cette fois*, qu'un cahier. Déjà Yahia entourait de ficelle une douzaine de cahiers d'écolier...

Le soir, dans son lit, à la lueur de la bougie, peut-être parce que ce décor lui rappelait la demi-heure funèbre passée avec Ftoum, ses sentiments avaient repris de la chaleur. Quel était son visage, à cette petite? Déjà il ne s'en souvenait plus bien. Il se prêtait à l'illusion d'aimer, sachant que c'en était une : tout nouveau, tout beau, et peut-être qu'après quinze jours il en aurait assez d'elle. Et puis, que pourrait-il naître d'une source si impure, — ce proxénète, ce consentement immédiat de prostituée professionnelle? Mais elle était douce quand même, une telle heure, sur son lit, enfin calmé dans l'espérance, imaginant cette découverte d'un être, cette conquête d'un être qu'il n'avait fait qu'entrevoir, qui ne connaissait rien de lui, auquel il faudrait apprendre à avoir confiance en lui et à l'aimer. C'est souvent dans cette heure où on ne le connaît pas encore qu'on apporte le plus à un être. Comme on est prêt à tout lui donner ! Et sachant bien, cependant, que cette aventure a déjà eu lieu tant de fois, suivie de quelle lassitude ! On se disait que les mots d'amour, vraiment, ce n'était plus possible. Et les voici, brillants, dans leur fraîche nouveauté...

Malgré tout, il n'y avait peut-être là qu'une flambée d'imagination, car, le lendemain matin, Auligny de longtemps ne pensa pas à Ram, qu'il allait recevoir dans quelques heures. Lorsqu'il y pensa : « Le bonheur, songea-t-il, devrait se prouver par quelque preuve par neuf. Si la preuve fonctionnait, au moins je pourrais me dire : « Tout ce qu'on voudra ! Je suis heureux. Il y a la preuve. » Tandis qu'à présent ? Naturellement, j'ai les éléments pour être heureux. Mais rien ne me dit avec explosion : « C'est le bonheur ! » Tout ce qui a été fatigué en moi par cette chasse d'une semaine, l'esprit, les nerfs, le corps soupire : « Ouf ! Nous allons pouvoir prendre un peu de repos. » C'est une détente ; ce n'est pas du bonheur. »

La vérité, c'est que l'obsession avait été dans son cerveau, bien avant d'être dans sa chair, si jamais elle avait été dans sa chair. Ce qui l'irritait et l'inquiétait, c'était, plus que la continence, la sensation d'une impossibilité matérielle. Et à présent qu'il avait la certitude d'avoir, sa paix était presque égale à s'il avait eu.

Il en était là, quand sur les 11 heures une automobile s'arrêta devant la porte du bordj — une automobile seule, en infraction à tous les règlements, mais Auligny savait que les officiers se faisaient un point d'honneur de les enfreindre, quand c'étaient des règlements de sécurité, — et on en vit descendre un petit capitaine à la taille de guêpe, aux jambes arquées d'homme de cheval, et au fond de culotte trop large, de sorte que, avec

ses jambes en cerceau, il avait l'air de s'être oublié
dedans, et de faire des efforts pour ne pas se
mouiller ; en même temps ce fond de culotte lui
donnait grand air : on voyait tout de suite que
c'était quelqu'un de bien. Le capitaine vicomte
de Tilly, chef de poste à Tamghist, avait des
oreilles de chauve-souris, très fin de race, de pâles
moustaches, brossées de haut en bas sur la lèvre
supérieure qu'elles recouvraient, une barbe de trois
jours qui, avec son uniforme passé et râpé, ses
galons dédorés, et l'épais matelas de cheveux lui
couvrant la nuque, ne faisaient pas de lui quelqu'un
de bien *neat;* mais ce qui retenait surtout, c'était
ses yeux, simulant à eux deux la forme d'un accent
circonflexe, que reproduisaient elles aussi ses
moustaches, et toutes ces lignes tombantes lui
donnaient une expression malheureuse, accentuée
par sa peau fanée et de lourdes poches bouffies
sous les yeux. A son air excédé, on aurait dit un
père de cinq enfants.

Après s'être présenté, avoir fait son compli-
ment, tout cela qui ne prit pas plus de trois mots,
il regarda fixement Auligny, comme s'il le buvait
(Auligny furieux qui se disait : « Il va s'inviter
à déjeuner, et me faire manquer mon rendez-vous
avec Ram »), et lui dit sans autre préambule :

— Ah ! cela fait plaisir de vous voir ! On n'a
pas besoin de vous demander comment vous allez.
Parbleu ! comme un homme qui va droit devant
lui ! Mais vous verrez ça dans six mois. C'est cet
air, n'est-ce pas, cet air... (Il leva la tête, et, la
tournant à droite et à gauche, huma l'air avec
des narines palpitantes, comme font les chiens.)

Vous ne sentez pas déjà ce qu'il y a d'infernal dans
cette atmosphère? Vous dites que non, mais vous
le sentez, il est impossible que vous ne le sentiez
pas. Ah! ma tête! ma pauvre tête!

Il se laissa tomber sur une chaise, contre la
table, appuya les doigts sur ses paupières, et enleva
son képi. Alors Auligny vit un spectacle imprévu,
mais dont la signification ne devait lui apparaître
qu'un peu plus tard : un large bandeau ondulé,
châtain clair, retombait sur le front du capitaine,
si peu militaire, et en même temps si voyant,
presque si provocant qu'on eût cru qu'il n'était
disposé là que pour quelque raison majeure, par
exemple en vue de cacher une cicatrice.

— Puis-je vous offrir quelque chose, mon capitaine?

— Non, je ne bois jamais, dit le capitaine, avec
une vivacité telle qu'Auligny en conclut qu'il
devait être un terrible licheur, mais dans son
particulier. De quoi donc vous parlais-je? J'ai
les idées un peu brouillées ; c'est cette électricité
qu'il y a dans l'air. Ah! oui, de L... (il n'avait pas
été question de L...). Alors vous les avez vus,
quatre-vingts officiers à L... qui n'ont rien d'autre
à faire que de jouer au tennis et d'avoir pince-
fesses au cercle tous les soirs. Et moi je suis toujours dans des bleds impossibles, et jamais de
permissions! J'ai quarante-quatre ans (il en paraissait quarante-huit), et je suis garçon, parce qu'on
ne m'a jamais donné le temps de me marier. A
Hanoï, où j'ai passé trois semaines à l'hôpital en
descendant de la montagne, j'avais fait la connaissance d'une délicieuse jeune fille, mon cher,

une blonde ! et intelligente, aquarelliste ! Quand je
vous raconterai ça ! Un jour, je vous dirai son
nom... (Il sortit son portefeuille, et ses mains en
tripotèrent le contenu, tremblantes d'impatience
comme celles d'un homme qui, au poste-frontière,
dans la cohue, ne retrouve plus son passeport ;
enfin il en tira une photographie.) Vous la trouvez
délicieuse, n'est-ce pas? (« Délicieuse ! délicieuse ! »
dit Auligny. Il ne pouvait faire moins.) Eh bien !
vous savez comment est la société... On m'a fait
des histoires... Et pourtant, est-ce que je n'ai pas
le droit d'avoir un sentiment pour une jeune fille?
Après tout, je peux bien vous dire son nom : vous
êtes un homme discret. C'est Mlle Hoguin. Andrée
Hoguin. Un nom de rêve ! Et puis v'lan, on m'envoie ici. Quand il y a un trou à boucher, un poste
dont personne ne veut, c'est pour moi. Vous devez
savoir qu'on m'a surnommé Bouche-Trou?

— Mon capitaine, je peux vous affirmer que je
n'ai jamais entendu ce surnom...

— Vraiment? On y aurait renoncé? Eh bien !
tant mieux. Mais alors je regrette de vous l'avoir
appris. Ne le remettez pas en circulation. Vous ne
le feriez pas dans une intention méchante, mais,
à force, ces surnoms peuvent faire du tort. Et
quelle raison auriez-vous de vouloir me faire du
tort? (Un temps.) Il est vrai que je ne vois pas
comment on pourrait m'en faire davantage qu'en
me laissant tout simplement ici. (Les yeux dans
le vague :) Ah ! la camaraderie dans l'armée a
bien changé depuis la guerre ! Se sentir entouré
d'indifférents, savoir que vos chefs se foutent de
vous, que des deux hommes auxquels vous êtes

enchaîné dans un poste perdu, l'un vous hait, et l'autre, médecin, s'il vous voyait les prodromes d'un cancer, se dirait seulement : « Chouette ! Pourvu que ce soit le beau cas... » Et qui sait même s'il ne vous empoisonnerait pas, pour suivre l'évolution, et passer le temps ? Ce n'est pas difficile, d'empoisonner quelqu'un, dans un bled comme celui-ci. (Un temps.) Et claquer là, sans une parole amie...

A ces mots, et de la façon la plus nette, Auligny vit les yeux du capitaine se mouiller. Sans être très ferré sur la médecine, Auligny avait tout de suite reconnu qu'il se trouvait devant un cas clinique. Et c'était peut-être pour cela que, lui si sensible — sensible au point d'en être ridicule, — il se sentait plus surpris que touché par ces confidences intempestives du capitaine, par ce mouvement de se croire persécuté, de se plaindre, de demander de la sympathie, et cela à un jeune officier, son cadet et son subalterne, qu'un quart d'heure plus tôt il ne connaissait pas. Regrettable injustice : moins visiblement désemparé, et souffrant moins, le capitaine eût touché davantage Auligny, parce qu'Auligny n'eût pas pensé à lui accrocher l'étiquette : « Neurasthénie. »

Avisant des cigarettes sur la table, le capitaine dit :

— Fumez, fumez ! Ne nous gênez pas pour moi ! Moi je ne fume pas, mais vous, avec votre santé, vous pouvez tout vous permettre. (Il le contempla encore, d'un regard insistant et émerveillé, comme si Auligny était une sorte de Bébé Cadum resplendissant, ce qu'il n'était pas ; il était comme tout

le monde.) Qu'est-ce que je disais donc? Ah! ma
pauvre tête! (Il fronça les sourcils avec une expression douloureuse.) Oui, je vous disais : savez-vous
pour quoi j'étais fait? J'étais fait pour mener une
vie d'art. Ma grande passion a toujours été l'orgue.
Et la vie m'a mené au Soudan, en Indochine, ici,
et toujours dans le bled : vous pensez si j'ai été
servi, en fait d'orgues! Eh bien! ne pas pouvoir
jouer de l'orgue, cela n'a jamais cessé de me manquer. (Il regarda ses mains.) Ce sont des mains
d'organiste. Vous, naturellement, vous ne pouvez
pas voir cela parce que vous n'êtes pas de la
partie. Mais les gens du métier me l'ont toujours
dit.

— Vous avez été en Indochine, mon capitaine?
dit Auligny, trop content de pouvoir, par l'Indochine, amener qu'il était petit-fils de général.
« Mon grand-père, le général Pétivier... »

Il prononça le nom très distinctement, et mar-
qua un imperceptible temps d'arrêt, pensant que
le capitaine allait dire : « Ah! vous êtes le petit-
fils... » ou : « Le général Pétivier! Un beau nom
de soldat! », mais rien ne vint, et Auligny, pendant
quelques instants, parla de son grand-père, de sa
belle page au Tonkin. Parla dans le vide : c'était
affreux. Le capitaine fixait le sol. Mais ce n'était
pas le sol qu'il fixait, c'était la suite de ses idées.
Il ne voulait parler que de soi, que de soi et que de
soi, et ce regard bas, à mesure qu'Auligny péti-
viait, devenait presque torve, devenait presque le
regard du buffle, quand il regarde en bas et montre
le blanc de l'œil, tant le capitaine était mécontent
qu'Auligny le détournât de ce qui n'étai pas s›

et impatient de reprendre la parole. Sitôt qu'Auligny se fut tu :

— Et dire qu'enfant c'était le violon qu'on voulait m'apprendre, quand j'avais de telles dispositions pour l'orgue ! reprit le capitaine, tout à fait comme si Auligny n'avait pas parlé. (Et dans cet entêtement, qui allait jusqu'à l'impolitesse, un observateur eût discerné quelque chose de sombre et d'implacable, sans rapport avec la physionomie plutôt évanescente du capitaine). Oui, le violon !... Songer à tout l'argent que ma pauvre mère a dépensé pour m'apprendre le violon, quand nous étions sans fortune — car je suis sans fortune, — et quand c'était bien visible, pourtant, que je ne mordais pas du tout au violon ! (Un temps. Avec force :) Combien de temps s'y est-on obstiné?

Certes, Auligny n'aurait pu le dire, et il y eut un silence. Brusquement, comme s'il avait le feu au derrière, le capitaine se leva, remit son képi, et sortit. En franchissant la porte du bureau :

— Rien qu'à passer de l'intérieur au dehors, je sens la différence de l'air... Vous ne sentez pas? Allons, ne me dites pas ça ! Tenez, rentrez avec moi, et puis ressortons... Ah non, pas comme ça ! Il faut rentrer complètement dans la pièce, sinon... Hein, vous avez senti, cette fois? (« Oui, oui, c'est vrai, » dit Auligny, comme on fait avec les fous.) Eh bien, cette atmosphère... cette... comment dire? Ah ! je n'ai pas la tête claire aujourd'hui.

Il disparut comme un esprit, sans avoir dit rien de plus que ce que nous avons rapporté, sans un mot sur le service, et avec un air plutôt mécontent, un au revoir sec, comme si tout d'un coup il avait pris conscience de la folie de ses effusions, et sans transition s'était refermé, s'était bouclé à double tour, furieux de son débondage, en voulant au lieutenant, et le laissant abasourdi.

Auligny, en déjeunant, songea plus au capitaine qu'à Ram. C'était surtout ce bandeau ondulé qui le laissait rêveur, ce bandeau qui proclamait que tout lien n'était pas coupé entre le capitaine et la « vie d'art », la vie où il y a des orgues : ainsi la mèche de contremaître qui barre le front de M. Pierre Laval, président du Conseil, proclame que même au faîte du pouvoir, et assis entre les duchesses, il reste relié au monde du travail. Et puis Auligny se rappelait cette croix de guerre du capitaine, ornée de deux palmes et d'une étoile — dans l'infanterie, c'était là quelque chose, — et il en venait à avoir beaucoup de sympathie pour le capitaine, à fonder sur lui des espoirs d'amitié. Il perdait de vue peu à peu qu'il l'avait d'abord traité de malade, et qu'en tout cas il ne faut pas accorder trop de valeur aux épanchements d'un chef de poste au Sahara qui, faute d'interlocuteurs habituels, se précipite en affamé sur tout nouveau venu, pour se décharger de ses histoires, et en apprendre d'autres. Disons-le en passant, cette voracité de conversation est quelquefois redoutable chez les médecins militaires du bled. Vous arrivez, salement mouché, avec 39°8 de fièvre, vous aspirez au silence et à la paix, mais le major veut tout savoir, et s'installe à votre chevet. Que pense-t-on à Paris de l'Anschluss? Et de l'Exposition coloniale? Et Michelet? est-ce vraiment un grand écrivain? Et les États-Unis? n'avons-nous pas

beaucoup à apprendre d'eux? En vain vous fermez
les yeux, pour marquer votre épuisement : il feint
de ne le voir pas. Et la crise du roman? Et la
jeunesse? Que pensez-vous de la jeunesse? Où
va-t-elle? Et est-il vrai, comme il l'a lu dans une
revue, que de nos jours on ne peut pas concevoir
un poète qui ne soit partisan de la lutte de classes?
Pendant ce temps-là vous crevez.

Quand, à une heure, on se faufila dans la courelle
de la maison Yahia, par la porte laissée avec intention entrouverte, et quand Auligny la vit, disant
d'une voix sourde : « Bonjour, » il la poussa dans
la pièce, et là, tombant un genou en terre, serra
ses jambes contre sa bouche. Elle ne bougeait pas,
et ne disait mot. Après un instant, il lui demanda :
« Tu veux te déshabiller un peu? » et la mena vers
le lit. Il se retourna, feignant de chercher quelque
objet dans la chambre, car il craignait de l'inti-
mider avec son regard ; il lui disait, le dos tourné :
« Tu pourras revenir souvent? », et elle répondait :
« Si vous voulez. » Quand il la regarda de nouveau,
elle était nue jusqu'à la ceinture, toujours debout,
les bras ballants, « plantée là, » comme si l'acte
de s'étendre sur le lit, ou seulement de s'asseoir
sur son bord, n'était pas de ceux qui pussent lui
venir à l'esprit.

Il la fit asseoir. Elle ne mit les jambes sur le lit
que lorsqu'il les lui souleva lui-même, et ne s'appuya à l'oreiller que contrainte.

Maintenant, avec un air étonné, presque ahuri,
elle regardait sa gorge, qu'il embrassait, comme si
elle la voyait pour la première fois. Sa peau était

tellement lisse et douce qu'elle paraissait plutôt
un tissu végétal que de la peau humaine ; ses
cheveux étaient parfumés au musc ; l'odeur de
son corps était forte et bonne, et dans l'aisselle
imberbe elle avait aussi, à la bouche, un goût
très végétal. Elle riait quand il la baisait dans les
aisselles, parce que cela la chatouillait. Il voulut
passer la main entre ses cuisses, mais elle dit :
« Rien, çui-là... Rien, çui-là... » Il la baisa encore
un peu, sagement, par exemple sur les bras (et il
sentait le cœur de cette fille battre dans la veine
de son avant-bras), sur son ventre, où la peau était
plus chaude, à cause de la pression de la ceinture,
et puis, las de ces caresses misérables, et se sentant
pressé par la nature, il lui dit : « Laisse-moi
m'étendre un instant à côté de toi... sans me déshabiller, tu vois bien, » ajouta-t-il, rencontrant son
regard effrayé. Il se fit place contre elle, et tout
de suite elle avait redressé le buste, comme quelqu'un qui a peur. Alors, tandis qu'elle détournait
la tête, logeant la bouche dans son cou (elle avait
du sable dans les frisons et dans les oreilles), il
l'étreignit, et presque à l'instant soupira, s'affai-
blit, desserra son étreinte. Après vingt-quatre jours
de continence, que Ftoum avait à peine inter-
rompue, il n'en fallait pas beaucoup au lieutenant
Auligny...

Il se remit sur pied, et, lui tournant le dos,
comme tout à l'heure, il lui dit : « Si tu veux te
rhabiller. » Il n'aurait pas aimé qu'elle vît son
visage en ce moment : elle, de sang-froid, lui, avec
son masque de trouble... Devant la table de toilette, il appuya de l'eau sur sa face, comme pour

l'y introduire. Il se retourna. Elle était debout, habillée, et attendait.

— Tu reviendras?

— Si vous voulez.

— Veux-tu demain, à la même heure?

— Si vous voulez.

Si vous voulez, toujours! Il avait envie de lui donnez ce nom : « Si-vous-voulez. » Il lui ouvrit la main, mit dedans, pliés en quatre, deux billets de dix francs, qu'elle ne regarda pas, la baisa dans le cou, assez tranquillement, et ouvrit la porte. Dehors, elle dit : « Bonsoir, » de sa voix basse, sans se retourner.

« Enfin, se dit Auligny, voilà qui est une chose faite. » Il retira ses culottes, ses *naïl*, se sécha, et, pieds nus, en caleçon, se coucha sur le lit. Ce faisant, ses yeux tombèrent sur sa montre. Machinalement, il l'avait regardée aussi quand la petite était entrée. Il vit qu'elle n'était pas restée vingt minutes, — et c'était lui qui l'avait congédiée ! Ce matin il avait prévu qu'il la garderait environ une heure et demie... « Eh bien ! ma petite, tu as beau être gentille, si tu faisais l'amour comme ça en France, tu crèverais vite de faim. Pour le coup, en voilà, du *travail arabe* (1). (Il était content d'employer cette expression récemment apprise.) Peut-on appeler ça une maîtresse? En sera-ce jamais

_____

(1) Les Européens de l'Afrique du Nord appellent ainsi tout travail mal fait, encore que le travail des Italiens, Espagnols, etc..., qui forment la main-d'œuvre de cette contrée, ne soit guère supérieur à celui des Arabes.

une ? C'est plutôt la feuille du figuier. » La raquette
du figuier de Barbarie, molle et juteuse à l'intérieur, est appelée au Sahara *la femme du légion-
naire*. Cette feuille du figuier, que Ram suggérait
par son air végétal, mais surtout par son inertie,
amusa beaucoup Auligny. « Demain, à une
heure, vingt minutes de feuille de figuier ! Encore la vraie feuille de figuier remplit-elle beaucoup plus consciencieusement son office, puisque
Ram... »

Ses doigts, pleins d'elle, gardaient comme un
enduit léger, un peu poisseux, qui sentait l'abeille,
l'olive, le pain d'épice, le gingembre, une odeur
forte et douceâtre qu'il avait adorée avant d'avoir
joui, mais qui maintenant l'écœurait un peu,
comme vous écœure celle des cacahuètes ou des
cigarettes parfumées, et il se leva pour se laver
les mains. C'est égal, il était bien content. Il avait
une envie goulue de s'occuper des choses de son
métier, de rattraper le temps perdu...

De retour au bordj, il trouva par bonheur de la
correspondance en retard. La volupté de la correspondance ! A gauche ce qui est à faire ! A droite
ce qui est fait ! Double chance : un rapport à ter-
miner. La volupté du rapport ! On éprouve à le
rédiger le plaisir de l'artiste faisant son œuvre :
comme lui, on laisse trace, on met la main sur la
durée... Quelle fringale de paperasserie cette Ram
lui donnait ! Finis le courrier et le rapport, il
n'était pas encore rassasié. Dans un mouvement
d'enthousiasme, sous les photographies de sa
mère, de son père, et de sa sœur, il écrivit à
Mme Auligny :

« Chère Maman,

« Il ne faut pas vous laisser impressionner par ma dernière lettre : elle n'était digne ni de votre fils, ni de son uniforme, et je regrette bien de l'avoir écrite. J'ai beaucoup réfléchi depuis, et il me semble que j'ai pris une conscience plus nette de ce que j'appelle de ce beau nom : mon métier, conscience que je n'avais peut-être pas tout à fait jusqu'ici. Trois semaines seulement de cette solitude et de cette responsabilité m'ont déjà mûri. Il me semble que c'est depuis peu que je suis un homme (etc…, etc…). Bref, je suis heureux comme un roi, et plein de grands projets. D'abord je fais venir de Rabat plusieurs livres sur le Maroc militaire dont la liste m'a été donnée à Casa par le commandant Trichard. Les livres de théorie composeront toute ma bibliothèque, avec le Racine. Le désert et Racine, que faut-il de mieux? Enfin je veux travailler beaucoup, et que vous et mon pays puissiez être fiers de moi. »

(Auligny avait écrit « vous et mon pays puissiez », plutôt que « vous et mon pays vous puissiez », parce qu'il était absolument nécessaire que dans cette lettre il y eût une faute de français.)

Cette belle flambée morale fut la première conséquence de l'amour d'une mineure dans l'âme du lieutenant Auligny.

De la note sur ses états de service, demandée par Mme Auligny, le lieutenant ne soufflait mot, comme par une sorte de pudeur. Mais elle était là, bien là, jointe à sa lettre. Il avait mis plus d'une heure à la rédiger. « Le lieutenant Auligny, qui…

qui... toujours à la satisfaction de ses chefs, etc... »
Quand il eut écrit cette lettre, il nota dans un
petit agenda, à la date du 25 avril 1932 : « Maman. »
(Depuis son adolescence, Auligny inscrivait quotidiennement dans de petits agendas toutes les
lettres envoyées et reçues, ses comptes, toujours
méticuleux, et les « visites » qu'il faisait.)

A dîner, Auligny mangea et but un peu plus
que de raison.

Quelques jours plus tard, par les soins de
Mme Auligny, la lettre du lieutenant commençait
de faire le tour des salons : Mme Auligny l'avait
recopiée à plusieurs exemplaires. Ce qui impres-
sionna surtout, ce fut : « Le désert et Racine ».
Cette formule devint inséparable du nom de Lucien
Auligny. L'amour du désert signifiait l'amour de
la solitude, de l'ascétisme, l'amour de Dieu, —
toute la hauteur d'âme ; tandis que le culte de
Racine signifiait toute la tradition française, toute
la délicatesse française, toute la haute culture
française. On tomba d'accord que l'homme qui
avait trouvé ce raccourci admirable, mariant les
vertus du caractère et celles de l'esprit, était bien,
comme le dit une dame — en une formule qui,
elle aussi, devint bientôt fameuse dans cette société,
— un « drapeau vivant ».

Le drapeau vivant avait été tellement occupé
par son émotion, ce jour de la première visite de
Ram, que c'est à peine s'il avait regardé la cueil-
leuse de branches. Le lendemain, lorsque, sitôt
arrivée, elle s'arrêta au milieu de la chambre,
et resta là, attendant un ordre, il la regarda lon-

guement : ses cheveux noirs et brillants comme la
soie des chapeaux haut de forme, très soignés,
parfumés à l'huile de girofle, — son nez busqué,
ciselé, dont les narines se rétrécissaient de l'extérieur vers l'intérieur, de la même façon que les
naseaux des ânes, — ses bras forts, si dodus qu'ils
maintenaient près de l'aisselle les bracelets qui
ne tintaient pas, — ses mains pleines, — son nom-
bril dessiné avec force, comme si le modeleur,
sûr de la beauté de son trait, n'avait pas craint
de l'appuyer profondément, — la noblesse de ses
genoux, — la majesté de ses pieds. Comme nous
tous, Auligny avait connu des visages délicieux,
sur des corps qui, dévêtus, donnaient pitié ou
dégoût ; et des corps beaux auxquels, en les pos-
sédant, il eût fallu couvrir le visage avec un mou-
choir, comme on fait aux cadavres ; et d'intéres-
santes créatures, mais de qui les mains ou les pieds
étaient d'une grossièreté répugnante, ou bien
l'haleine... Avec Ram, avec cette petite plante
du désert, quelle totale *sécurité!* Si nette, si propre,
si bon-sentante, si irréprochable ! Et, devant ce
corps, une sorte de respect lui venait.

Son vêtement unique était une longue pièce
de cotonnade bleu foncé, enroulée lâche autour du
corps à partir des aisselles, serrée à la taille par
une cordelette en poils de chèvre, et retenue sur
les épaules par deux épingles anglaises : ces deux
épingles enlevées, et la ceinture dénouée, le vêtement tombait d'une pièce, ce qui était un peu
rapide au jugement d'Auligny, qui aimait les pré-
paratifs. Les bras, les aisselles et la naissance de la
gorge étaient donc nus, ainsi que les mollets et les

pieds. La simplicité de sa parure était exceptionnelle. Ni khol, ni tatouages (elle les appelait des
« tatouillages », mot formé sans doute sur « cha-
touilles »), ni henné sur les cheveux, vierges également d'amulettes, ni bandeau frontal, ni collier,
ni bracelets de chevilles. Ses ornements se rédui-
saient donc à des boucles d'oreilles, aux bracelets
des poignets et des gras du bras, et à l'affreux
henné de ses doigts, qui paraissaient avoir été
trempés dans de l'iode. Ce henné et même ces
bracelets désolaient Auligny, qui trouvait que ce
n'était pas racinien. Mais, tout compte fait, il était
charmé par la discrétion de sa parure, et voulait
absolument que ce fût preuve de son bon goût. Ce
l'était au moins de sa modestie, car Ram ne manquait pas de bijoux.

Il la fit s'étendre, et, s'étendant auprès d'elle,
mit la tête entre ses deux seins, et resta là, chaste-
ment ; mais gloire à la vallée entre ses seins ! Il
remarqua que ses seins n'étaient durs que de la
fermeté naturelle du muscle, mais déjà il avait
pris son parti qu'elle n'eût pas de plaisir de ses
caresses, et ce sentiment nouveau de respect, qui
lui était venu, reléguait pour lui la sensualité
au second plan. Une fois, intrigué de connaître
quelle expression elle pouvait avoir durant ces
instants, il coula le regard vers son visage : elle
semblait fixer une tache de soleil sur le mur.
Une autre fois, il vit ses yeux aller de droite à
gauche : sur le mur blanc de la chambre passait
l'ombre d'un oiseau qui volait au dehors. Il dit,
pour la faire parler : « Qu'est-ce que c'est? »
— « Un zouizoui. » — « Ah! il nous a vus! »

Mais cet essai de badinage n'alla pas plus loin.

Elle était complètement passive. Elle s'immobilisait dans la position où il la mettait, comme un pantin. S'il prenait sa main et se la posait sur le corps, la main restait là jusqu'à ce qu'il la retirât. S'il lui levait le bras, pour s'enfouir le visage sous son aisselle, son bras demeurait érigé, comme la patte d'un chat qui se lèche le derrière, et il devinait que c'était à lui à l'abaisser, sans quoi elle le laisserait ainsi pendant une heure. Toutefois, il y avait un geste qu'elle savait faire spontanément : celui de détourner la tête, quand il la baisait dans le cou. Auligny jugeait qu'un visage, si on ne le désire pas, est un objet dégoûtant ; que son visage devait être cela pour Ram, et il évitait de baiser le sien, malgré son envie, n'allant pas plus haut que le cou et la nuque.

Il approuvait qu'elle lui dît *vous*. Lorsqu'il lui parlait, elle ne répondait jamais que par une seule phrase, comme si elle était une mécanique qui n'était remontée que pour une dizaine de mots ; et elle dilatait un peu les narines en prononçant cette phrase. Si la parole d'Auligny pouvait à la rigueur se passer de réponse, elle ne répondait pas. Par exemple, s'il lui disait, toujours hanté par l'ennui qu'elle devait éprouver à être là : « Dans cinq minutes je te laisserai partir, » elle ne répondait pas. Il ne devait jamais présumer la réponse dans une question qu'il lui posait, car alors elle répondait simplement oui ou non, sans doute au hasard, tandis qu'autrement elle eût peut-être répondu la vérité. Ainsi, s'il lui demandait : « Qui t'a acheté ces bracelets? Ton père? » Elle répondait

oui, tandis que s'il lui avait demandé, sans plus :
« Qui t'a acheté ces bracelets? », elle eût peut-être
répondu ce qui était en effet, qu'elle se les était
achetés elle-même.

Quand il l'interrogea : « Cela ne t'ennuie pas,
que je t'embrasse? » , elle dit : « Pourquoi que ça
m'ennuierait? », et cette parole parut tellement
chaleureuse à Auligny qu'il la baisa plus fort, et
sa bouche descendit de sa gorge sur son ventre,
puis au-delà, sans qu'elle protestât. Il connut alors
avec curiosité que ce qui, la veille, avait été défendu
à la main, était permis aux lèvres. Mais, relevant la
tête, il vit sur son visage une expression angoissée,
la tête inclinée de côté, et la bouche un peu entrouverte montrant la clarté des dents. Il crut qu'elle
était heureuse, et, égaré de désir, lui demanda :

— Cela te donne du goût?

— Du goût de quoi? fit-elle stupidement.

— Enfin, est-ce que ça te fait plaisir?

Elle répondit d'une voix pitoyable :

— Non, vous me faites du mal.

Là-dessus, douché, il redressa le buste, et lui
dit de se rhabiller.

Comme la veille, il lui mit dans la main vingt
francs, qu'elle ne vérifia pas. « Je me demande ce
qui se passerait si je n'y mettais que cent sous.
C'est à croire qu'elle ne dirait rien. Quel contraste
avec ces petites grues françaises, de qui le visage
ne devient vraiment joli que dans l'instant où
elles reçoivent de l'argent ! » Il la pria de venir le
surlendemain, à 6 heures du soir. Il voulait, en
effet, se déshabiller et coucher avec elle (lui ayant
demandé si elle y consentait, elle avait répondu :

« Si vous voulez. ») Et il voulait que cela se fît
dans l'obscurité, pour que son corps nu la dégoûtât
moins.

Quand elle frappa le lendemain, il crut qu'elle
s'était trompée de jour, mais elle venait seulement
l'avertir qu'elle ne pouvait venir le jour suivant ;
le surlendemain, s'il voulait... Auligny, habitué
aux *lapins* des Européennes, fut attendri par ces
égards. Et la voix publique était si unanime à
dénoncer le manque de ponctualité des Arabes !
L'après-midi, se trouvant en compagnie d'Otero,
ils la croisèrent dans le ksar, et elle feignit de ne
pas le connaître. « A défaut de la *grande volupté
orientale*, j'ai du moins trouvé une jeune personne
bien élevée, » pensa Auligny, sentant croître pour
elle son estime, *estime* différente de ce *respect* qu'il
lui portait aussi, et qui était le respect de sa beauté.
Cela l'amusa beaucoup de l'avoir revue en public,
autrement que nue, et parlant arabe. « Mais elle
est épatante, elle sait l'arabe ! » Tant il était habitué
à l'entendre parler français avec lui.

Au jour convenu, déshabillée, il l'épousseta et
l'essuya comme un objet, pour la débarrasser du
sable. Puis elle se mit docilement sous le drap, et
ne broncha pas quand, nu, et ayant éteint, il se
glissa à côté d'elle, entrant dans l'atmosphère
chaude de son corps comme dans un bain tiède, —
car le plus beau corps de trente ans, ou même de
vingt, n'a plus cette chaleur qu'il avait quand il
en avait quatorze ou quinze. Et le monstre biforme,
la grande rose humaine, s'envola et roula dans la
nuit comme un monde. Dans la paume d'Au-

ligny, ses seins semblaient lutter pour s'échapper.
Il jouait de la jambe sur son corps, comme d'un
archet sur un violon. Mais rien peut-être ne lui
était plus doux que de poser la plante de son pied
sur le contrefort du sien, et de sentir sa chaleur.
Il remarqua que, tandis qu'il la baisait dans le cou,
elle ne détournait pas la tête, et, enhardi par la
pénombre, lui baisa l'oreille, puis, ne percevant
pas de résistance, sécha avec ses lèvres des gouttes
de sueur posées entre son nez et sa bouche, lui
baisa la tempe, le front, les yeux, et enfin la bouche.
L'obscurité n'était pas si dense qu'il ne pût lire
sur son visage, qui ne témoigna d'aucun sentiment.
Cela suffisait à Auligny, qui baisa longuement et
passionnément cette bouche qui sentait le piment
et l'orange, une odeur à la fois sucrée et un peu
âpre, comme celle de son corps. Quand il lui fit
cette caresse qu'il lui avait faite l'avant-veille, il
lui demanda : « Cela te fait toujours mal? » Elle
dit : « Oui. » A l'instant, le plaisir qu'il en avait
tomba. Elle resta plus d'une heure. Pas plus que
d'habitude, il ne fit sur elle œuvre d'homme, mais,
entre ses cuisses brûlantes, la nature le délivra du
principal de son souci.

   Elle partie, il enfouit son visage dans l'oreiller,
où la tête de Ram avait imprimé un creux rond,
et son visage s'y logea tout juste, comme une pièce
faite pour une autre pièce dans un mécanisme. En
dépit des précautions, elle avait laissé du sable
dans les draps, ce qu'il trouva touchant au possible. Auligny se sentait heureux. Eh mais ! aujourd'hui elle avait été *chaude*, — chaude comme
est chaude l'eau du robinet marqué « chaud » dans

une chambre de palace, c'est-à-dire qu'elle n'avait
pas été tout à fait froide.

On dira que le lieutenant n'était pas difficile.
Mais auprès de toutes les femmes qu'il avait connues — elles pouvaient être une quinzaine, —
c'était son cœur qui avait eu besoin de se satisfaire, en se donnant, plutôt que ses sens. Il allait,
cherchant de l'une à l'autre une fraîcheur de tendresse, comme la gazelle parcourt le désert à la
recherche des endroits où il a plu. Même lorsqu'il
rôdait dans Birbatine, comme une bête en rut,
un bouton de fièvre à la bouche, c'était moins son
corps que son âme qui s'angoissait de l'absence
de toute vie jeune où elle pût verser cette sympathie vivante que le désir soutient et anime. Et
maintenant il l'avait, ce corps charmant à tenir,
à presser dans ses bras, quand il le voulait, sans
difficulté, sans risque d'aucune sorte. Bien sûr,
il eût préféré une étreinte complète. Mais pouvait-
il y avoir une étreinte vraiment complète avec la
feuille d'un figuier? Prendre Ram sensible, oui. Mais
la prendre inerte, il lui était facile de s'en passer.

Le lieutenant Auligny, nous le savons, n'était
pas un homme de beaucoup d'allant. Forcer, découvrir, créer, imaginer, tout cela n'était pas son
fort. Tel autre, sage sans doute les premières fois,
ensuite, avec ou sans plaisir, et balayant les conséquences, eût possédé la petite. Tel autre encore,
la voyant si belle et si bonne fille, n'eût eu de cesse
qu'il eût éveillé cette matière, fait lever en elle
de l'amour, ou, à défaut, du plaisir, ou, à défaut,
de la colère alors, de la révolte, n'importe quoi qui
portât sa griffe, à lui, le mâle, qui fût quelque chose

qui n'eût pas été là sans lui. Auligny, lui, l'acceptait telle quelle, s'en contentait, — comme il se
contentait, dans le bordj, de sa chambre telle qu'il
l'avait trouvée, sans y rien changer, alors que tout
autre se fût ingénié à l'orner, à la rendre plus com-
mode, à en faire un endroit un peu gentil ; ce qui
faisait dire aux sous-offs que le lieutenant « ne
savait pas s'arranger ». Déjà, dès cette troisième
fois, Auligny ne se sentait plus le courage de tirer
de Ram, une à une, des paroles insignifiantes.
Il envisageait que jamais il n'en saurait plus d'elle,
et que désormais le « bonjour », le « bonsoir » et le
« tu peux te rhabiller si tu veux » seraient leur seul
dialogue d'amour. Tout ce qu'il ambitionnait,
c'était de ne la perdre pas.

Auligny trouva Yahia parfait dans la circonstance. Lorsqu'ils se revirent, après la première
visite de Ram, ils causèrent un quart d'heure sans
que le Tunisien fît allusion à celle-ci. Auligny,
assuré que Yahia ne parlerait pas d'elle sans y être
convié, la loua en quelques mots brefs et discrets,
auxquels Yahia répondit sur le même ton. Si
bien que le lieutenant se sentit une bouffée de
remords en rendant à Yahia son cahier, sur lequel
il avait indiqué quelques corrections au hasard,
pour faire croire qu'il l'avait lu. Cependant, sa
situation un peu fausse à l'égard de Yahia, ag-
gravée par le fait qu'il ne savait pas comment le
remercier matériellement, ni même comment abor-
der cette question avec lui, firent qu'en définitive,
pendant quelque temps, il l'évita. Attitude bien
naturelle, puisqu'il avait une dette envers lui.

III

Ram venait deux fois, trois fois par semaine, toujours exacte. Quand elle n'était pas là, Auligny ne pensait pas à elle ; mais, sitôt qu'elle entrait, une chaleur de sympathie et de désir faisait éclore de lui les gestes les plus tendres. Elle, toujours passive. Si ses seins semblaient avouer le plaisir, l'indifférence de ses yeux, le rythme calme de son cœur les démentaient : il en vint à penser que seules la jeunesse et la force dressaient par instants cette gorge, comme les chiots ont des érections quand ils jouent, comme les poulains tiennent la queue droite quand ils galopent.

Lorsqu'il la caressait avec la bouche, la voyant souvent écarter les jambes par saccades, un peu convulsivement, avec un visage angoissé, il se persuadait qu'elle avait du plaisir, mais toujours, le lui demandant, elle répondait que cela lui faisait mal, et il ne pouvait distinguer si l'anxiété de son visage était celle de la douleur dans la jouissance, ou de la douleur dans la douleur. Parfois, rusant, lui disant, avant de lui avoir fait cette caresse, qu'elle pouvait s'en aller, comme si son intention avait été de ne la faire pas, il cherchait à lire s'il y avait une déception sur ses traits. Mais il devait bien reconnaître qu'il n'y lisait rien de semblable.

Yahia avait dit à Auligny que Ram agissait en cachette de son père, et Auligny l'avait cru. Il n'avait pas cru, naturellement, qu'elle en fût à son coup d'essai, mais par discrétion ne l'avait pas interrogée, jusqu'au jour où sa discrétion céda, et où il le fit. Elle répondit qu'il était le premier, et Auligny, sachant qu'elle mentait, tourna bride. Mais il croyait toujours que Regragui ignorait ce trafic, et s'inquiétait que ses « générosités » n'éveillassent la méfiance du vieux.

— Qu'est-ce que tu fais de l'argent que je te donne?

— Je le cache.

— Où cela?

— Dans un trou, dans la palmeraie.

Il lui donna plus tard un petit collier. Puis, ne le voyant jamais à son cou :

— Tu ne le mets pas?

— Non, je l'ai caché.

— Toujours dans le trou?

— Oui.

Ce trou où elle fourrait tout, comme un petit rongeur! Certes, ce mot de *raton*, dont les Français désignent les Arabes, était bien inventé! Éternel instinct de l'Arabe : cacher ses richesses, cacher ses femmes, cacher sa vie, parce que, dans ce pays, on est toujours sous la menace d'être dépouillé. Le trou de Ram, c'est le silo des petites filles.

Et puis, à mesure que la somme qu'elle avait reçue de lui s'arrondissait, il lui devint impossible de croire à la candeur de Regragui, et il s'étonna d'y avoir cru jamais.

— Avoue que ton père sait tout. Ton histoire de trou, c'est une menterie.

— Eh ! vous m'interrogez !

Ce qui voulait dire : « Soyez aussi discret avec moi que je le suis avec vous, et je n'aurai pas à mentir. Est-ce que je vous interroge, moi? » Le lieutenant se le tint pour dit. Il ignora, et bientôt même s'y complut.

Cela durait maintenant depuis trois semaines. Se fiant aux effusions du capitaine de Tilly, Auligny avait espéré nouer avec lui un commerce. Les « mon cher », les « quand je vous raconterai tout ça ! » laissaient prévoir ce commerce. Mais il n'en fut rien. Le capitaine ne revint plus à Birbatine, et dans ses coups de téléphone s'en tint aux questions de service : l'homme qui parlait au bout du fil n'était pas le même homme qui s'était assis à la table du lieutenant. Plus averti, Auligny n'eût attendu nulle suite dans les humeurs de cet hypernerveux.

Rejeté à sa solitude, il conçut l'idée d'écrire à un ancien camarade de collège, Pierre de Guiscart, qu'il avait rencontré en débarquant à Casablanca, et qui vivait présentement à Alger. Guiscart était peintre, ce qui le situait dans la planète la plus distante de celle d'Auligny. En dix ans, ils ne s'étaient pas revus plus de trois fois, mais Auligny trouvait quelquefois dans les gazettes la photographie de son camarade, et des interviews où il lui était demandé ce qu'il pensait de « la Révolution », des « États-Unis d'Europe », de la réforme du jury en matière judiciaire, enfin de toutes les questions dans lesquelles la peinture vous donne une compétence. Quant à la peinture de Guiscart, Auligny ne la connaissait que par des illustrations de lui ornant des ouvrages à tirage limité, ouvrages que lui avait montrés le médecin de sa famille, qui avait horreur de la lecture, n'éprouvait nul plaisir des couleurs ni des lignes, n'entendait rien à la typographie, mais était bibliophile.

Auligny, en écrivant à Guiscart, voulait lui raconter son étrange idylle, car ils avaient beaucoup « parlé femmes » quand ils s'étaient rencontrés à Casablanca, et surtout femmes indigènes (Guiscart était arabophile, état qui, selon Auligny, s'accordait presque nécessairement avec celui de peintre). Mais surtout il éprouvait le désir de faire des plaisanteries sur la feuille de figuier, qui décidément l'amusait sans mesure. Peut-être tout ce qui arriva par la suite, entre lui et Guiscart, n'eut-il sa source que dans ceci : il avait eu envie de blaguer.

Il écrivit donc, avec assez de détails, et reçut de Guiscart une longue lettre, où il trouva ceci :

« Vive donc la feuille de figuier ! Elle t'a appris ce qu'il m'a fallu traverser l'eau, moi aussi, pour apprendre : que l'idéal de l'amour n'est pas l'amour partagé, mais d'aimer sans qu'on vous le rende. Nous n'avons que faire de l'amour des femmes, que dis-je, il nous assomme. Il nous envahit, nous englue, et nous idiotifie. Nous demandons à une femme d'être, en dehors de l'étreinte, une camarade complaisante, dévouée, de bonne humeur, se tenant à sa place, qui nous laisse notre liberté d'esprit et notre liberté de mouvement, bref, qui nous fiche la paix ; et qui, dans l'étreinte, nous donne du plaisir, et en ait (c'est seulement

en n'en ayant pas que ta Ram est fautive). De la
sensualité, et une tranquille amitié, juxtaposées,
et jamais ne tournant à l'amour (j'allais dire : à
l'aigre) : voilà la recette. »

Auligny se rebella un peu. « Il n'est pas sérieux ! »
Malgré tout, que Guiscart, même s'il y mettait un
grain de paradoxe, justifiât son genre de liaison,
quand tant d'autres l'en eussent plaint, il en était
flatté. Tandis qu'il lui écrivait, il avait soupçonné
que Guiscart se moquerait de lui, le dédaignerait,
et il n'avait pu s'empêcher de finir sur un mot
un peu pointu : « Je suppose qu'un homme ayant
une vie aussi « intense » que la tienne, n'aura pas
le temps ou l'envie de répondre à l'infime puceron
que je suis. »

Sur la lettre de Guiscart, longue et prompte-
ment parvenue, cet émotif se monta la tête. Si
grand était son besoin de chaleur humaine ! Il
répondit en mettant noblement Ram à la disposition de Guiscart, comme maîtresse et comme modèle, si jamais le goût venait à celui-ci de pousser
jusqu'à Birbatine. (Paysages et hommes du Sud,
quelle matière pour un peintre !) Cette offre était
venue de primesaut sous sa plume. En fait, il eût
été enchanté que Guiscart la prît au sérieux. Il
le logerait à la maison Yahia. Quelle distrac-
tion dans sa vie d'ici ! Mais il n'y pouvait croire.
Guiscart avait d'autres chats à fouetter que Ram,
et une villégiature à Birbatine devait paraître
bien peu tentante.

Un jour, tandis qu'Auligny, sans bouger, tenait
Ram dans ses bras, il lui parut qu'elle avait les

yeux vagues. « — Tu as sommeil? » — « Non, » dit-elle d'un ton ferme, sans réplique. Deux minutes ne s'étaient pas écoulées qu'elle dormait. Quelle découverte que celle de son sommeil ! Il l'adora. Éveillée, il était toujours obsédé par cette idée qu'elle s'ennuyait, que d'un instant à l'autre elle allait dire : « Ça y est? » ou « Mon père m'attend », ou bien, comme elle avait fait une fois, avec une redoutable politesse : « Je vais vous mettre en retard, » qu'elle était étrangère et hostile, pleine de répugnance pour tout ce qu'il lui faisait, le jugeant et le méprisant. Endormie, tout cela cessait. Il pouvait même penser que pour succomber à ce sommeil elle avait dû avoir confiance en lui, qu'en y succombant elle avait eu une sensation heureuse, aimé cet étroit nid de ses bras.

D'abord il n'osa pas bouger, de crainte qu'elle ne s'éveillât. Mais il y avait tant de grâce dans le geste avec lequel, ses avant-bras ramenés sur sa poitrine, elle laissait retomber ses petites mains pleines et pures (parfois un chien, couché sur le dos, laisse retomber ainsi ses pattes de devant) qu'il ne put y tenir et les baisa. Sitôt qu'il l'eut ainsi touchée, il vit son visage se crisper douloureusement, comme il arrive aux êtres qu'on dérange durant leur sommeil. Toujours endormie, elle lui dit : « *Va-t-en!* » (Ah ! ce premier tutoiement, du fond de son sommeil !), avec une voix comme embrouillée de larmes, la voix chialeuse de Germaine, à l'école, quand Marcelle lui a pris son équerre et ne veut pas la rendre ; et encore, en arabe, des mots qu'il ne comprit pas (et qui étaient : « Qu'est-ce que tu fais près de moi, toi? ») Toujours endormie, soudain pleine de force (il sentit qu'elle était aussi forte que lui), et le surprenant, elle le poussa à demi hors du lit, tout son buste sorti du lit, et, dans cette posture ridicule, il fut obligé pour ne pas choir de prendre appui, de sa main sur le sol. Alors, sombre, il descendit du lit, et remonta le drap sur elle jusqu'au menton, comme si elle était morte.

Il la regarda longtemps. Cette femme avec laquelle il couchait, il ne la regardait presque pas : il avait honte du visage qu'il aurait en la regardant, honte qu'elle y lût, elle, si froide, sa tendresse et son désir. Il coupa avec des ciseaux une petite peau qu'elle avait près d'un de ses ongles, que tout à l'heure elle mordillait, et qu'elle n'avait pas voulu qu'il coupât, faisant toutes sortes de simagrées, comme s'il allait lui sectionner la main. Il écarta le drap, toucha sa jambe, et elle ne remua pas, comme si cette partie de son corps, plus grossière que la poitrine et les mains, était insensible. Il caressa longuement sa jambe, s'étendit contre elle, la mit entre les siennes et la serra, comme le chien vous serre le mollet entre ses pattes, la dorlota comme un être, comme si elle était une personne particulière, et qu'il ne couchât pas avec une femme mais avec une jambe. Et voyant Ram ainsi, de ses pieds où il était, elle semblait une chose qui reposait au fond de la mer, ou bien, sombre et pâle, une montagne la nuit. Il alla chercher une couverture pour l'ajouter, afin que cette jambe fût plus brûlante et même fût moite, car ainsi cela serait meilleur. Et soudain, dans son sommeil, elle prend conscience, retire vivement la jambe, avec

gaucherie tente de se soulever, de maintenir sa
jambe écartée de lui, mais lui, qui sentait venir
la jouissance, brutalement il lui frappe sur les
poignets, pour lui faire perdre son point d'appui,
comme fait un lutteur avec un adversaire à terre.
Enfin sur l'oreiller elle ouvre les yeux, le voit et
lui sourit.

Cette demi-heure du sommeil de Ram resta
dans son souvenir quelque chose d'extraordinaire,
une grande aventure. Une telle lutte dans l'obscurité du sommeil, et puis ce sourire final, comme
l'aube qui point, après l'angoisse nocturne... Auligny avait eu une petite amie qui, désagréable de
caractère, dans l'inconscience du sommeil enfin
s'abandonnait. Ram, au contraire, docile dans la
veille, dans le sommeil résistait, se débattait. Ses
sentiments véritables s'y révélaient sans doute,
qui étaient le dégoût et la haine : sitôt éveillée,
la pauvre petite, elle reprenait sa bonne volonté.
Ou bien encore, n'avait-elle pas feint le sommeil
pour lui découvrir, sans qu'il pût lui en vouloir,
son animosité profonde? Il se disait que, s'il l'avait
eue toute une nuit avec lui, elle fût devenue vraiment inconsciente dans la seconde partie de la
nuit, comme il l'avait remarqué chez d'autres
femmes, qu'enfin le sommeil écrasait, vers 3 heures
du matin. Mais cette nuit de Ram était chose
impossible. D'ailleurs, la désirait-il beaucoup?
C'est bien long, une nuit...

Désormais, il chercha à provoquer son sommeil.
Il eût voulu qu'elle passât la nuit dans des fêtes
de famille, que sais-je, pour lui arriver le lendemain
pleine de fatigue et aspirant aux songes. Quand il

la tenait serrée contre lui, éveillée, il adaptait à
celle de Ram sa respiration, comme un promeneur
se met au pas de son compagnon, puis graduelle-
ment donnait à sa respiration le rythme ample et
régulier du sommeil, pour que ce rythme entraînât
chez elle le sommeil. Il arriva qu'une fois encore
elle s'endormit, et cette fois, peut-être ayant veillé
la nuit précédente, ou pour quelque autre raison,
elle fut un corps mort dans ses bras.

Il la tenait comme un sculpteur tient l'argile
humide, mouillée qu'elle était de sueur (il paraît
qu'on ne sue pas au Sahara !), et il se demandait :
« Que vais-je faire d'elle? Quels gestes vais-je
tenter? », promenant ses mains sur elle, avec une
inquiétude analogue à celle de la création. Poitrine
contre sa poitrine, sa bouche collée sur la sienne,
comme dans une respiration d'orangers, de ses
mains qui l'étreignaient il lui montait des caresses
lentes et légères depuis les reins jusqu'aux omoplates, et quand il arrivait entre les omoplates
elle renversait un peu la tête, à croire qu'il avait
atteint malgré tout ce corps inconscient au fond
de son sommeil : ainsi se roidissent les chats quand
vous les caressez à la naissance de la queue. Alors
ses bras se coulèrent comme des reptiles le long
de ses bras à elle, et, ses mains arrivées sur les
siennes, d'un des bras de Ram il s'entoura le cou, et
il ramena l'autre de façon que la paume fût posée
sur sa bouche, où cette paume se mit tantôt à se
crisper, tantôt à se détendre, selon les mouvements mystérieux de la nuit. Ce qui peut-être
lui donna l'idée de ce geste, ce fut que, la première fois que dans son sommeil elle l'avait

repoussé, elle lui avait mis la main sur la bouche,
et il avait senti alors combien peu il eût fallu
pour que ce geste d'hostilité devint un geste de
douceur. Ces caresses artificielles le remplirent
d'une mélancolie puissante, mais qui ne l'empêchait pas de les trouver bonnes. Il tremblait qu'elle
ne s'éveillât. Avec quel sursaut électrique, alors,
elle se dégagerait de cette position! Comme elle
le mépriserait d'avoir abusé de son sommeil, pour
cette lamentable mimique d'une tendresse qu'elle
ne lui donnait pas! Et il y avait quelque chose
d'étrange et de saisissant dans cette scène où, le
haïssant peut-être, l'apparence était qu'elle l'étrei-
gnît et lui parlât, tandis que de sa main elle
lui pressait la bouche, et que parfois elle murmurait contre ses lèvres des mots incompréhensibles, comme si elle les avait appris chez les
morts.

... Plusieurs fois encore elle s'approfondit dans
ce sommeil enveloppé. Tantôt le sommeil lui enle-
vait toute conscience. Tantôt elle y faisait des
défenses, comme un cheval, mettait ses mains
devant son visage, interposait les coudes, avec des
gémissements, ou bien s'entortillait dans le drap
du dessus, afin d'être isolée du corps d'Auligny.
Réveillée, elle redevenait toute docile. Son premier geste, après le réveil, était de regarder son
sexe, pour voir si Auligny n'avait pas abusé d'elle.
Elle l'examinait longuement, minutieusement,
comme les singes examinent le leur. Quand elle
était bien rassurée, Auligny songeait : « Sa confiance n'en sera-t-elle pas augmentée? » Un jour,
quand elle s'éveilla, il lui dit, simple parole en

l'air : « Tu as rêvé? » Mais elle répondit : « Oui. »
— « A quoi? » — « A ma mère. » Est-ce parce qu'il
la caressait qu'elle avait rêvé à des caresses de sa
mère morte? Cela était bien touchant.

Seuls connaissent un homme ceux qui l'ont vu
sur l'estrade d'amour. Dans l'acte même, sur le
visage, cette férocité, ou cette combinaison de
férocité et de faiblesse (de faiblesse dans l'acte
« viril », pourtant !). Avant ou après, alternant
avec l'énergie, ce délacement, ce dévalement.
L'homme cesse de se contraindre ; cesse d'être
soucieux et tendu. Ses traits s'affaissent, ses yeux
se noient, sa bouche est ouverte. Quelle façon de
se livrer, non seulement à un être, mais à quiconque
le surprendrait en cet instant ! Les bêtes se livrent
ainsi. Sur l'estrade d'Auligny, tout cela se con-
cluait en une extrême fatigue finale. Ces longues
séances de tendresse, où Auligny donnait tout, et
elle rien, fatiguaient le lieutenant plus que ne l'eût
fait une nuit de caresses partagées. Ram partie, il
restait allongé une heure encore, sur ce lit. Mais
peut-être la seule tendresse peut-elle causer cette
usure nerveuse.

Quelle que fût la mélancolie de ces étreintes
factices dont il lui faisait prendre la pose, elle eut,
réveillée, un mot qu'il jugea plus mélancolique
encore. Comme il la tenait étroitement dans ses
bras, elle lui dit : « Vous me tenez comme si j'étais
prisonnière. » « Oui, pensait-il, prisonnière de mon
grade, prisonnière de mon argent : une captive
dans le lit du vainqueur. » Cette parole resta toujours en lui.

On voit au désert de petites masses de sable,

pétrifiées en des formes qui rappellent des pétales de fleur. Les enfants les offrent aux touristes, pour quelques sous ; elles sont exposées en Europe, dans les agences de voyages, sous le nom de *roses du désert*, ou *roses de sable*. Auligny appela Ram sa « rose de sable ». Ce n'était pas seulement parce qu'elle semblait vraiment une fleur des sables (avec toujours ce sable dans ses oreilles, dans ses cheveux, entre ses orteils, et qu'elle fourrait partout chez lui !). C'était surtout parce que, à l'image des roses de sable, elle était en surface toute grâce florale, et en réalité froide et inerte comme ces pierres.

Et cependant, tout ingrate qu'elle fût, l'acte de la tenir dans ses bras, acceptante sinon heureuse, buvait en quelque sorte la sève du lieutenant, que cet acte fût accompli ou ne fût qu'imaginé. Quelle merveille (mais aussi quel péril !) qu'un tel acte ait tant d'empire que ce puisse être pour un homme un absolu, de seulement se le représenter ! Auligny s'étendait sur son lit, fermait les yeux, faisait la nuit en eux en les couvrant de son avant-bras, et imaginait Ram reposant sur sa poitrine. « C'est elle. C'est elle qui est là, et qui n'a pas envie de partir. Si elle pouvait comprendre à quel point je l'aime ! Mais elle ne peut le comprendre. »

D'abord ces rêveries n'occupèrent que l'heure de la sieste, et ainsi passaient inaperçues. Ensuite, la chaleur augmentant avec la saison, et amollissant Auligny, il s'étendait sur son lit à d'autres heures, et, pour l'expliquer aux yeux de ses hommes, il prétendait ne se sentir pas bien, et plaçait des produits pharmaceutiques à portée de

sa main. C'était un terrible attrait que celui de
s'étendre ainsi, tout pareil à celui de la seringue
pour le drogué, de la bouteille pour l'alcoolique. A
soixante ans il se fût dit : « Un peu plus ou un peu
moins d'agitation, qu'importe en fin de compte?
J'en ai fait assez. Et au nom de quoi, en somme,
devrais-je m'interdire avec douleur ce qui me donne
le plus de plaisir ici-bas? » Mais à son âge, dans
son emploi, et avec l'éducation qu'il avait reçue,
il avait des remords. Il perdait sa jeunesse. Il ne
faisait rien pour son avancement. Il trompait la
confiance de sa mère... Et que dirait de lui le
monde? A quel point ne serait-il pas dédaigné?
Ah! si, à défaut d'avancement, il avait seulement
potassé l'ornithologie saharienne! Mais l'abîme
s'ouvrait, il y tombait.

Néanmoins, pour se justifier, il lui venait parfois
cette raison : que ses submersions ne se faisaient pas
dans la sensualité mais dans la tendresse. Alors il
relevait la tête. *Tous* les autres étaient dans l'erreur, *toute l'humanité* était dans l'erreur. Erreur
l'ambition, la vanité, le vouloir-servir, le vouloir-
fonder une famille, le vouloir-faire une œuvre. La
seule légitimation de l'activité humaine, c'était de
gagner tout juste ce qu'il fallait d'argent pour
n'avoir plus à penser à l'argent, et, le reste de son
temps, de le consacrer à la submersion dans
l'amour. Cette vue était effrayante, parce qu'elle
changeait du tout le sens et le but de la vie, autant
que sont changés le sens et le but de la vie pour
un homme qui se met soudain à croire à sa religion,
et à vouloir accorder sa conduite avec sa religion
crue. Les mystiques se submergent dans l'union

avec Dieu, et appellent cela la contemplation. Et
la contemplation suffit à donner un sens à leur
vie : tout le reste n'est plus qu'œuvre vaine. Auligny se submerge dans l'union avec la créature
(union toujours concrète puisque, s'il l'imagine,
et s'attarde à le faire, il sait qu'à volonté il
l'aura ensuite dans la réalité). Et sa vie n'a plus
besoin d'un autre objet que celui-là.

Mais enfin, il est homme. C'est dire que tout chez
lui n'a qu'un temps.

IV [1]

*Je n'ai d'extraordinaire que de
trouver facile ce qui l'est réellement.*

CASANOVA.

M. Pierre de Guiscart, arrivant en vue de l'im-
meuble où il avait son appartement, rue Michelet,
à Alger (il louait toujours en plein centre des villes
pour n'avoir qu'un pas à faire quand il voulait
se trouver au cœur de l'aventure), promena de
loin un coup d'œil circulaire, cherchant s'il n'aper-
cevrait pas quelque poulet posté aux abords de la
maison. Il était également persécuté par un certain nombre de dames, toujours collées à sa porte,
comme les mouches aux yeux des bœufs, épiant
s'il y avait de la lumière derrière ses volets, inter-
viewant la concierge. (« Mais enfin, s'il n'est pas
là, vous lui renvoyez bien ses lettres quelque part,
vous avez donc son adresse... Oh ! ce n'est pas
pour moi ! C'est une commission qu'on m'a de-

---

(1) C'est en vertu d'une vieille équivoque française entre
« ressentir de l'amour » et « faire l'amour » que j'ai cru
pouvoir rattacher à la présente idylle ces chapitres IV et V
(Note de l'auteur).

65

mandé de faire… ») ; mais à cette heure — 3 heures du matin — elles étaient exorcisées.

Il y avait trois jours et deux nuits qu'il n'avait pas cessé de battre Alger et sa banlieue, à la recherche de quelqu'un, sans rentrer chez lui, sans se déshabiller, se lavant seulement le visage et les mains dans les lavabos des cafés, et chez le coiffeur où il se faisait raser. Sa fatigue était telle que chaque marche de l'escalier lui arrachait une sorte de plainte. Mais il se disait : « Quoi qu'il arrive dans l'avenir, rien ne me retirera d'avoir vécu si intensément. Tout est justifié — le pire — par cette simple phrase : « Quels souvenirs je me crée ! » Quand il approcha de son palier, ses yeux de nouveau se portèrent en avant, de ce regard qu'Auligny lui avait déjà vu dans la rue de Casa. Si la police avait perquisitionné? S'il allait trouver les scellés mis? Ou bien une insulte tracée à la craie sur la porte? Pourtant, tandis qu'il faisait ces suppositions, quelqu'un qui l'eût observé n'eût remarqué nulle inquiétude dans ses yeux. Il ne vit d'ailleurs rien d'anormal. Il ouvrit la porte, ramassa des lettres que la concierge avait glissées par-dessous, et se dirigea vers sa chambre à coucher.

Le désordre y était indescriptible. On n'en donnera qu'un exemple : les lettres avec lesquelles Guiscart aurait pu faire chanter des gens, elles étaient toujours égarées ! Guiscart avait en ce moment à son service le chauffeur Caccavella, deux boys arabes, et sa maîtresse arabe, El Akri. Mais comme il ne pouvait souffrir auprès de lui une présence un peu continue, il donnait congé aux

uns et aux autres, à tout bout de champ, au plus
fort de leur travail ; et comme par ailleurs il lui
arrivait de disparaître trois, quatre jours sans
prévenir, ils avaient pris l'habitude de disparaître
semblablement, quand le caprice leur en venait.
Guiscart ne leur disait jamais rien. Sa rage d'être
libre lui eût rendu insupportable que des êtres
vivant sous son toit ne le fussent pas eux aussi.
Et puis un intérieur vide, ou quelconque, favorise
le rêve et l'exaspération de l'ailleurs ; beau, il ris-
querait de vous enchaîner, comme c'est aussi
l'ennui d'une maîtresse trop réussie. Quant à
consacrer quelques instants à mettre lui-même un
peu d'ordre, il n'y fallait pas songer. Dans les
périodes où son démon s'emparait de lui, M. de
Guiscart était incapable de s'arracher, pour si
peu de temps que ce fût, à ses « quêtes de joie ».

Tout, dans cette chambre, disait la hâte infer-
nale du départ. Le lit, les tables étaient couverts
de vêtements, de linge, entassés en un désordre
affreux. A terre, des dessins, des crayons, une
dizaine de souliers en pagaye, un fond de vieux
chocolat tourné dans une casserole, où Guiscart
l'avait bu à même, ne retrouvant pas les tasses,
peut-être ne sachant pas même où elles étaient.
Dans la corbeille, de luxueuses revues d'art, jetées
sans que la bande en eût été retirée. Sur le lit,
non fait depuis quatre jours, Guiscart, n'arrivant
plus à se reconnaître dans ce fouillis, avait juché
chaises et fauteuil pour faire de la place.

Sur la cheminée il aperçut une petite paire de
chaussettes, trouée, et sourit. Elle les avait ou-
bliées, la folle ! En effet, durant les heures qui

avaient précédé son départ, la chambre avait été
le siège de toute une chiennerie de petites filles
arabes, couchées par terre, s'y roulant à la mode
chatte, tantôt d'un côté, tantôt de l'autre, fau-
filant leurs pieds entre les cuisses les unes des
autres, jusqu'à les appuyer — ces pieds mobiles —
contre le sexe de la compagne, ce qui les faisait
rire. Et la pièce alors était pleine de leurs babouches, de leurs claquettes, enfin de leurs chaussettes, qu'elles faisaient glisser de leurs pieds à
force de se masser un pied avec l'autre, aux moments où elles avaient leurs nerfs, un peu avant la
volupté.

　La table, inexprimable, était surmontée des
derniers courriers, couronnés eux-mêmes par les
boîtes et brosses à cirage : lettres non ouvertes,
qui attendaient là depuis quatre, cinq jours, et
que Guiscart considéra d'un œil épouvanté. Sa
seule réaction, en effet, devant une lettre qui lui
parvenait, était : pourvu qu'il n'y ait pas à répondre ! Une lettre qui lui eût appris un cata-
clysme, mais n'eût pas demandé de réponse, eût
été tenue par lui pour une *bonne lettre*. Néanmoins,
il faut tout dire : bien que des formules familières
à M. de Guiscart fussent : « J'ai toujours mille fois
plus d'argent qu'il ne m'en faut, » ou encore : « Je
n'ai qu'à frapper du pied pour faire sortir l'argent
de terre, comme Pompée en faisait sortir une
armée, » Guiscart, à la manière du classique tour-
lourou qui flaire les lettres pour deviner celle qui
contient un mandat, flaira les siennes, espérant
quelque gracieux petit chèque. Une des enveloppes, portant l'en-tête d'Halphen, le marchand

de tableaux, lui parut avoir bon air. Il l'ouvrit,
glissa un œil à l'intérieur. Puis, avec une moue,
la rejeta sans sortir seulement la missive. M. de
Guiscart n'aimait pas l'argent, et n'en avait pas
besoin. Et cependant, les seules lettres qui lui
étaient agréables étaient celles qui lui apportaient
de petits chèques. On juge, d'après cela, quel peut
être l'état d'esprit des cupides.

Un instant il considéra sa chambre. « Eh bien,
j'y rentre quand même encore une fois ! » Car il
ne quittait jamais son appartement, partant en
chasse, sans lui jeter le regard que jette sur son
intérieur un homme qu'on emporte dans une clinique, regard qui dit : « Le reverrai-je jamais? »
Il pensait que c'était peut-être cette fois-ci qu'il
serait coffré, ou blessé et conduit à l'hôpital, ou
assassiné.

Néanmoins, tandis qu'il se déshabillait lourde-
ment, M. de Guiscart décacheta ses lettres, dont
il éparpilla les enveloppes autour de lui : tout ce
qu'il jetait, il le jetait à même le plancher, par
besoin de s'ébrouer, comme un chien fait voler
de la terre avec ses pattes. Il les décacheta toutes,
à l'exception de deux qui portaient les en-têtes
d'un avocat et d'un avoué. Guiscart ne poursuivait jamais personne en justice, estimant qu'il
fallait tout subir à condition qu'on vous fichât
la paix. Un acte ! Qu'est-ce qu'un acte ! Des arres-
tations, des prisons, des paperasses, de la décon-
sidération, parce qu'on a fait un acte, — quand un
acte, dans une vie comme dans le monde, est tellement peu de chose ! Mais tout le monde le poursuivait, à propos de bottes, pensant avec raison

qu'il serait à coup sûr condamné, quand le Tribunal saurait qu'en matière d'argent il n'avait qu'à frapper du pied, comme Pompée... Guiscart n'ouvrit les lettres ni de l'avocat ni de l'avoué, assuré qu'à leur charabia il ne comprendrait rien, et que d'ailleurs il devait s'agir, comme d'habitude, de convocations pour des dates qui étaient passées depuis six semaines. Avec convocations et sommations il agissait toujours ainsi, depuis de longues années, et il n'en résultait jamais rien de grave, sinon qu'il apprenait de temps en temps qu'il était condamné à payer de fortes sommes à des aigrefins avérés. Il se consolait alors par une de ses maximes favorites, empruntée à un dictateur mexicain (Pancho Villa) : « Le plaisir et le bonheur se paient cher, même quand on ne les achète pas en espèces. » A aucun prix il ne voulait de poids morts dans sa vie, et pour cela il payait, allait de l'avant, toujours prêt à passer à profits et pertes, sacrifiant mille et mille choses, simplement pour n'avoir pas à leur accorder de son attention.

Parmi les lettres qu'il parcourut des yeux se trouvait celle d'Auligny. Il haussa les épaules. « Il m'offre sa petite Bédouine ! Sans blague ! Comme si je n'étais pas sursaturé de filles arabes ! Quel daim ! »

Épuisé comme il l'était, pourtant l'obligation qu'il entrevit, de devoir dormir, le mit en fureur. La nécessité de *succomber* — ce mot ! — quotidiennement au sommeil causait à M. de Guiscart une humiliation à laquelle il ne parvenait pas à se faire. Les quelques nuits qu'il passait dehors, par semaine, sans fermer l'œil, fût-ce une heure, lui

paraissaient une victoire sur la vie. Les autres
soirs, carré dans son fauteuil, les sourcils froncés,
il provoquait le sommeil comme à un combat
singulier. La pensée qu'en dormant il devenait
la proie de n'importe qui, qu'il donnait sur lui,
par son sommeil, à n'importe qui, des pouvoirs
illimités, cette pensée-là lui était insoutenable.
Aussi ne dormait-il jamais auprès d'une femme.
Les plaisirs terminés, elle passait dans quelque
autre pièce, et il s'enfermait à clef, ou bien la con-
gédiait. Et si le sommeil, à l'improviste, saisissait
Guiscart dans ses bras, c'était chose qu'il lui
faisait payer au réveil. A deux femmes seulement
il avait donné cette preuve suprême de confiance,
de dormir devant elles. D'ailleurs, lorsqu'il dormait au côté d'une femme, il avait toujours des
cauchemars — alors que, dormant seul, il était
très rare qu'il rêvât, — comme si la nature l'aver-
tissait mystérieusement.

... Enfin M. de Guiscart *succomba*, dans son
fauteuil. Ce qui était, à un moindre degré dans le
sublime, la prouesse de ses nobles aïeux, quand
ils mouraient debout.

Nous avons lu je ne sais où qu'un certain officier
donna sa démission, pour se consacrer à la chasse.
M. de Guiscart, lui aussi, avait démissionné de
tout ce qui est « carrière » pour se consacrer à la
chasse, mais à la chasse aux dames.

Bien que les bureaux de poste réglementent les
« heures des levées », il levait à toute heure. Pierre
de Guiscart vivait uniquement pour « aimer ».
Œuvre, culture, relations, devoirs de famille, car-

rière, tout était sacrifié à cela. Mais quoi, « aimer »
peut-il occuper quinze heures par jour? Oui, si
l'on songe que Guiscart avait besoin d'un renou-
vellement continu de *personnes*. Étant plus jeune,
il avait été vraiment amoureux, amoureux jusqu'à la dernière déraison, jusqu'aux larmes, jusqu'à la maladie, — mais, dans cet état même, sa
recherche d'autres femmes ne cessait pas. Quoi
qu'il fût en train de faire, l'inquiétude était en lui,
l'obsession plutôt, de tout ce qui, pendant ce temps,
consentait, attendait, demandait, répétait en silence : « Je cherche ce que tu cherches. » Dans sa
chambre ou dans son atelier, il était rare qu'une
heure entière s'écoulât sans qu'une impulsion violente le soulevât, le fît aller à sa fenêtre, et là,
regardant passer la première venue, se dire rageu-
sement : « Celle-là aussi est une parcelle du
bonheur, et elle *me manque*. » A tel point que,
même dans cette confusion d'amour qui possède
un homme entre le moment où une femme accepte
et celui où elle cède, même durant ces quelques
jours quand la certitude du don se mêle à l'incertitude de la façon de se donner, et toute la force
de l'amour neuf à l'ignorance de ce qu'on aime,
même alors sa raison soutenait si bien le *principe*
de la multiplicité des femmes, que, l'esprit plein
de la femme promise, il se jetait encore à la rue,
comme par une sorte d'obligation, pour en happer
une autre, — n'importe quelle autre.

A vrai dire, cette passion tournait presque à la
manie. Ce n'était pas son corps qui réclamait ;
toujours gavé, comment l'eût-il pu? C'était son
esprit qui, empoignant ce corps ensommeillé,

lui montrait le *chemin du devoir* et lui disait :
« Encore celle-là. Oui, je sais, c'est la barbe...
Mais tu ne peux pas laisser passer ça ! » A
l'origine, sa passion était une passion de connaître. Comme un sourcier, pressentir mystérieusement, parmi toutes les jeunes filles, celle-là
qui se donne ! « J'en ai tant vu que je savais qui
étaient folles de leurs corps, et qu'en public on
aurait juré des saintes Nitouche, que chacune
d'elles aujourd'hui m'est un doute et une espérance. Je suis fou de savoir si elle a un secret. De
savoir si elle consentirait. Et avec un passant. Et,
si oui, qu'est-ce qui la pousse? Attrait d'un roman?
Espoir du mariage? Pur goût de la volupté (le
plus rare)? Envie de « rigoler »? Envie de tromper
les siens? Simple désir de petits cadeaux? Ou, au
contraire, besoin d'aimer, acculé à prendre cette
forme? Et je suis fou de savoir aussi comment elle
cède, — comment elle est quand elle cède, — comment elle fait ça. Cet être qu'il y a vingt minutes
je ne connaissais pas, n'avais jamais vu, qui était
non seulement l'inconnu mais la menace du scan-
dale, des pires histoires, — à présent nus tous deux,
nu un peu du secret de nos âmes, et l'entier secret
de nos corps, et cela en vingt minutes, montre
en main. Que dites-vous? Que c'est un pauvre
secret, si un être cède ou non? Soit. Mais cette clef-
là est encore la plus sûre pour ouvrir un être à
fond, — sans compter qu'on n'a vraiment envie
de connaître que quelqu'un qu'on désire. Et, au
moyen de celui-là, d'autres êtres. Sa sphère de
mouvance. Toute une petite cellule d'humanité
que par sa connaissance j'annexe. » Telles auraient

pu être, à l'origine, les raisons données par Guiscart à qui lui aurait dit : « Pourquoi? » Mais peu à
peu, avec l'accumulation des êtres, l'émousse-
ment des sensations, pour tout déclencher il n'était
plus besoin que d'une simple phrase : « Celle-là
n'est pas à moi. » La phrase classique du collec-
tionneur qui voit une pièce qui lui manque, et de
qui la vie sera bouleversée tant que cette pièce
ne lui appartiendra pas, fût-elle de peu de valeur :
la grossière excitation du joueur qui marque un
point. Car Guiscart — c'était inévitable ! — tenait
une liste de ses prises, avec numéros d'ordre. Passer
d'un numéro à l'autre, n'était-ce pas cela, en
somme, le plus solide de son plaisir? Cela était
idiot, mais pas plus idiot que l'état d'esprit de
tout recordman. Parfois il prenait quelque chose
de très moche, seulement à cause du prénom. « Il
faut absolument qu'il y ait une Christine sur ma
liste.»

Entre vingt et vingt-cinq ans, Guiscart avait
servi son art en premier. A vingt-cinq ans, c'était
sa vie qui était devenue l'objet presque unique
de sa préoccupation : l'art se débrouillait comme
il pouvait, en trouble-fête. Guiscart était tout le
temps à l'envoyer coucher. Cependant, tandis que
la plupart des hommes ne sont pas inspirés par
des passions satisfaites, lui, ses passions satisfaites l'inspiraient. Dans le même avatar, le désir
de gloire qui avait empanaché sa jeunesse s'était
transformé, tout d'un coup, en ce désir de capture
des êtres. Il n'en voulait plus à l'esprit des êtres
(à leur estime), il en voulait à leur corps ; mais
c'était toujours cette même manie de conquête,

qui en fin de compte est une des tares de l'homme,
et tellement vulgaire. Car il faut bien marquer que
Guiscart, parce que chasseur, ne convoitait jamais
que des personnes de qui le consentement était
douteux, si bien qu'une femme qui s'offrait la
première, son affaire était réglée : il s'acharnait
à la refuser, comme pour se venger sur elle de toute
la faiblesse où il succombait avec les autres. Et
ainsi cet homme de désir à trente et un ans n'avait
jamais mis les pieds dans une maison close, d'ailleurs n'aimant pas la débauche, répugnant à tout
ce qui est lieux de plaisir, sociétés de transports
en commun, etc...; et que dire des stupéfiants,
par exemple? Il ne savait pas même en quoi ils
consistaient.

Ce désir des corps avait conservé, chez lui, les
mêmes caractères que lorsqu'il était désir de gloire.
Jadis, poursuivant la gloire, il la dédaignait, ivre
de dégoût pour ceux qui la donnent. Aujourd'hui,
poursuivant les corps, les corps l'ennuyaient ; ne
vivant que pour les femmes, jamais il n'avait rien
pris au sérieux, de ce qui naissait d'un esprit ou
d'un cœur de femme. Et ainsi ce singulier don
Juan n'avait nulle connaissance psychologique
de la femme. « Mais, dira-t-on, cela ne le desser-
vait-il pas dans ses aventures? » Si, mais que lui
importait? Une de perdue, dix de retrouvées. Et
comme il ne cherchait jamais, dans une liaison,
à savoir ce que pensait la femme, ni si elle l'aimait,
ni à la retenir, comme il n'était jamais jaloux
(si elle le trompait avec quelqu'un de bien, il en
était plutôt content ; si avec quelqu'un d'ignoble,
son goût pour elle s'éteignait et il la laissait tom-

ber), il n'avait nul besoin de stratégie avec elles.
Si quelque ami lui faisait remarquer qu'il « ne
comprenait rien aux femmes », il répondait qu'il
n'y avait rien à y comprendre, et que si, par hasard,
il y avait quelque chose à y comprendre, cela ne
valait pas d'être compris. Et l'homme qui pensait
cela était un homme à qui les femmes étaient aussi
nécessaires que l'air qu'il respirait.

Ce n'était pas seulement que dénigrer ce qu'il
poursuivait était un de ses tics constitutifs. C'était
aussi que, toujours gorgé, embouteillé de femmes,
le plaisir qu'il recevait d'elles en était atténué ; et
il avait beau jeu à dénigrer des sensations qui
n'étaient médiocres que par l'abus qu'il en faisait.
Toute la vie amoureuse de M. de Guiscart était
sur fond de lassitude. Il nous arrive à tous, lisant
un roman plein d'intérêt et qui nous passionne,
de jeter malgré tout un coup d'œil sur la tranche,
pour voir au volume des pages si nous en aurons
bientôt fini. Guiscart, avec les êtres qu'il aimait
le plus, avait ce coup d'œil. Il est d'évidence qu'un
peu d'abstention l'eût rallumé ; mais il rageait à
la pensée de s'abstenir, fût-ce pour se rallumer ; et
puis cette lassitude, en lui montrant l'abondance
de ses biens, ne lui était pas désagréable. Il convoitait tout, obtenait tout, et tout de suite ne
savait plus qu'en faire, son geste naturel étant alors
de rejeter, comme le merle picore et rejette derrière
lui ce qu'il a picoré, — qui est n'importe quoi. Il
n'avait pas encore obtenu des êtres pour la première fois, qu'il avait pris déjà les mesures pour
se débarrasser d'eux après la seconde. « Quoi, lui
disait-on, faisant allusion à sa vie errante, vous

prenez des femmes, quand vous êtes toujours sur
le point de partir ! » — « C'est justement pour
cela, » répondait-il. (En outre, la mélancolie de
quitter une ville, et l'être exquis qui l'habitait,
était presque toujours compensée par l'agrément
d'échapper aux gens dangereux qu'il s'était créés
dans cette ville.)

Dans cet état, prendre et se dépouiller étaient
pour lui gestes également agréables ; prendre parce
que jamais il n'en avait assez, se dépouiller parce
qu'il en avait toujours trop. Et puis, tous deux
remuaient la vie, comme il disait ; et c'était bien,
en effet, le but essentiel de tout ce qu'il faisait :
remuer la vie. M. de Guiscart se prenant le front
dans ses mains, s'écriant : « Dieu ! quand serons-
nous débarrassés du sexe ! », et jetant au feu le
soutien-gorge d'une de ses amies, comme si, par
ce geste symbolique, la partie tenant lieu du tout,
il rôtissait le féminin en entier, c'est brusquement
un personnage de vaudeville, ou tout au moins
le frère de ces mondains qui vont faire du camping,
pour se donner le plaisir de coucher une nuit sur
la dure. Mais M. de Guiscart y allait en toute
bonne foi, parlait d'or quand on le mettait sur
la vie érémétique, et, pourvu qu'on le prît à ses
heures, eût été capable de dégoûter à jamais de
la chair un tendron qui l'eût entendu, quitte à
dévorer en fin de compte le tendron, pour lui
montrer par un exemple ce que c'est que de n'avoir
plus faim. Il est vrai qu'avec tout cela il se dépouil-
lait réellement sans difficulté, parce qu'il était
homme de désir et de prise, et le contraire d'un
homme de possession, et parce que gaspiller faisait

partie pour lui du style noble, qui était (en principe) son style de vie.

De même que, jeune, ayant désiré la célébrité, tout ce qu'il avait pu acquérir en ce sens, il l'avait jeté par la fenêtre quand, à vingt-cinq ans, il avait commencé sa vie nomade, perdant les positions acquises, ruinant à plaisir tout ce qui est « situation » pour un homme qui fait profession des beaux-arts ; de même, achetant des objets d'art, il ne les avait pas sortis de leurs caisses depuis dix ans ; ayant à Paris un grand appartement, conçu pour recevoir, il le laissait tel exactement que l'avaient laissé les déménageurs, c'est-à-dire en disposition de garde-meubles, et devait donner ses rendez-vous au restaurant ou chez son marchand de tableaux, faute d'une pièce aménagée ; faisant dépense, risquant son état, son honneur et quelquefois sa vie pour obtenir des dames, il les abandonnait aussitôt obtenues. Ces façons de se dépouiller à demi, qui ravivaient en lui la sensation, le chatouillaient aussi dans cette partie de l'âme où vit le monstre insatiable qu'on nomme fatuité, vanité, amour-propre, sentiment de l'honneur, dignité, fierté, orgueil, selon les circonstances. Gaspiller les possibilités, gaspiller les femmes, gaspiller l'argent, mais par-dessus tout gaspiller ses dons, c'était une des jouissances de sa vie. Laisser perdre quelque chose que tous les autres eussent ramassé, rester immobile où tous les autres se fussent précipités, lui causait une satisfaction bien supérieure à celle qu'il aurait eue en prenant. Et lorsque, dans un pays pittoresque, voyant une belle scène, il s'abstenait de la « cro-

quer », par dédain de profiter, il goûtait le même
sentiment délicat que lorsque, ayant dans son lit
une femme qui eût coupé la respiration à la plupart
des hommes, de désir, lui, il avait d'elle plein le
dos. Enfin, parmi les raisons qu'avait M. de Guiscart de renoncer, il faut compter que chaque vide
qu'il se créait levait en lui la perspective du plaisir
qu'il aurait à le remplir, et qu'ainsi, par le plus
sournois retour, en se privant il servait encore son
avidité : la plume de flamant dont usaient les
Romains après manger, pour se faire vomir, afin
de retrouver l'appétit.

On comprend combien cette passion de la chasse,
qui déjà eût été ruineuse pour une santé moins
solide que la sienne, était ruineuse en fait pour
tout ce qu'il y a d'organisé dans une vie. Quand le
besoin de la rue se levait en lui, rien n'existait
plus. Rompus, les engagements les plus fermes ;
laissées en plan, les affaires les plus importantes.
Il en venait à ne plus prendre de rendez-vous,
pour pouvoir être libre de se mettre aux trousses,
sans arrière-pensée, de quiconque le séduirait dans
la rue ; et la devise que, pendant quelque temps,
il avait fait graver sur son papier à lettres : « *Seulement ce que j'aime,* » aurait pu devenir, plus
brutalement encore : « *Tout planter là!* » Sa seule
façon de freiner était, quelquefois, de ne pas se
raser le matin, pour que la honte l'empêchât de
prétendre, s'il croisait l'aventure, comme Démos-
thène se rasait le crâne pour s'obliger à rester
travailler chez soi. Bien entendu, il suffisait que
Guiscart ne fût pas rasé pour qu'il rencontrât sur
le trottoir des anges du ciel, dont jamais il n'a-

vait vu les pareils les jours où il était pimpant.

Toutes les qualités qu'il ne se donnait pas la peine d'employer dans sa vie courante étaient mises en œuvre lorsqu'il s'agissait de sa vie sensuelle : la prudence, la ruse, la mauvaise foi, l'application, la patience, la ténacité. (« Ce n'est pas à force de malice, ni de désir, ni d'argent que j'obtiendrai, mais parce que, au quart d'heure des Japonais, c'est toujours moi qui l'emporte. ») Par contre, une déception, la mort d'un être cher, une pique d'amour-propre, l'annonce d'un procès perdu et de la forte somme à payer, survenant durant ces périodes-là, il n'en ressentait pas la plus légère égratignure : anesthésie pour tout ce qui n'était pas sa chasse. Journées de folie, comme celles d'une bête en rut, errant jour et nuit, capable alors de tout, et où enfin, ayant mangé un sandwich en vingt-quatre heures, tant il lui coûtait d'interrompre sa poursuite, fût-ce une demi-heure, il échouait dans des restaurants à six francs, dans des quartiers impossibles, à 4 heures de l'après-midi, ruchant l'os de la côte de porc en la prenant avec ses doigts, répandant vin et café sur la nappe, comme si cela même prolongeait la sensation de sa liberté et de sa puissance, méprisé par le patron jouant tout seul au zanzi sur le comptoir, comme un chat joue avec sa queue, et qui se disait : « Qu'est-ce que c'est que celui-là? » O rage divine !

Son impatience alors était celle des démons ; le feu lui sortait des narines (ou presque). Arrivé dans une ville nouvelle, une femme découverte le matin dormait le soir dans ses meubles ; trouver, louer, meubler l'appartement : cela s'était fait

en une journée. Tout cédait devant sa passion,
aidée de son argent. Car, comme tous les hommes
passionnés, un nombre considérable de choses lui
étaient indifférentes, sur lesquelles, de bourse, il
se montrait plutôt serré ; mais pour ce qu'il aimait,
il jetait sans compter, d'ailleurs ne sachant jamais
ce qu'il gagnait, ni ce qu'il dépensait. On le volait
ouvertement ; ouvertement il invitait les gens à le
faire : « Il me faut cela tout de suite. Le prix m'est
égal », aimant d'ailleurs de se sentir volé, autant
par vanité héréditaire, que pour les plus gentilles
raisons : « J'use des gens. Il est bien naturel qu'ils
se payent un peu, et d'autant plus que cela ne me
gêne pas. » Il s'engageait à servir des rentes à des
inconnues, entretenait des rabatteurs incapables,
donnait des pourboires d'homme saoul. Mais par-
dessus tout, de même qu'il collectionnait les êtres,
il collectionnait les domiciles de rechange.

Sublimes pages d'annonces des journaux (la
seule partie qu'il lût du journal) ! Il montait d'elles
une vibration, la vibration de la vie, pareille à la
vibration continue, immobile, vraiment éperdue
de la mer. Parmi les êtres qui se proposaient, dans
la rubrique « offres », combien étaient prêts à tout !
Mais les locaux libres étaient peut-être plus boule-
versants encore. Chaque fois que, dans la rue, il
voyait un panneau : « Studio à louer », Guiscart
devait soutenir une lutte pour résister à la tentation d'en devenir acquéreur ; et c'est tout juste si
l'écriteau « Cave à louer » ne lui donnait pas un
élancement. A Alger, il avait trois domiciles ; à
Paris, quatre. Ici une petite maison, là un appartement, là un atelier, chacun d'eux sous un nom

d'emprunt, ou un prête-nom, bien entendu. Au
moment où il se trouvait n'avoir qu'un seul domi-
cile, il avait la sensation physique, accompagnée
d'angoisse, qu'a un homme qui a oublié son revolver ; et c'était vraiment une autre sorte de revolver — une autre arme de défense — que ces
quatre ou cinq clefs dont il y avait toujours une
qui ne marchait pas, comme le revolver s'enraye.
Ces logis n'étaient pas qu'en vue de l'amour.
Il passait de l'un à l'autre pour dépister les gens
(surtout des femmes) à ses trousses, ou simplement
parce que c'était là son moyen d' « évasion », sans
quitter la ville. Domiciles autant que possible
sans concierge, loués seulement après que Guiscart se fût assuré qu'ils possédaient un angle mort,
où il serait à l'abri si on tirait du dehors à travers
la porte ; domiciles dont les objets essentiels restaient toujours enfermés dans une valise, qu'on
pût boucler en un tournemain, et qui toujours
avaient à proximité quelque mur bas, facile à
escalader, — bref, aménagés pour la fuite, comme
ces palais de corsaires barbaresques, toujours
élevés sur le bord de la mer, pour que leurs
maîtres pussent embarquer précipitamment.

Un mot de ces noms d'emprunt. C'est un des
avantages nombreux et incomparables que l'on a
à être noble français, en l'an 1930, que celui d'avoir
deux noms légaux : son nom de terre, qui est le
nom d'usage courant, et son patronyme, connu
seulement de quelques familles parentes. On peut
vivre ainsi incognito sous son patronyme, si le
cœur vous en dit, sans être pour cela sous un « faux
nom » — toujours suspect, — puisque votre patro-

nyme est votre nom, figurant sur toutes vos pièces
légales. M. de Guiscart s'appelait Hauchet de
Guiscart, et les trois quarts de l'année était pour
tous M. Hauchet. Ce qui ne l'empêchait pas de
troquer ce nom, d'aventure, contre tel ou tel nom
d'une ancienne seigneurie de sa famille : dispa-
raissant, il reparaissait ici et là sous un nom différent, comme un oued saharien. A Alger il était
M. Destouches. Pourquoi Destouches? Eh bien !
comme le but unique de sa vie était de faire des
touches, un de ses amis, un jour, l'avait interpellé :
« Voilà le chevalier des Touches ! » Le surnom
l'avait amusé, et lui était resté, parmi quelques
amis. Et il lui arrivait, dans telle ville de passage,
de se faire appeler M. Destouches, ou même
M. Chevalier-Destouches.

Avec tout cela, cet aventurier (si on peut donner
ce nom à un homme qui ne cherchait jamais à
gagner de l'argent, mais au contraire en laissait
partout) était un très honnête homme. Surtout
depuis le jour où il avait découvert que vulgarité
et malhonnêteté coïncident. Cela n'était peut-être
pas tout à fait vrai, mais de bonne foi il le voyait
ainsi, et c'est là une illusion trop heureuse pour
qu'on veuille l'y contredire. Et il est certain qu'en
un temps où le talent, l'énergie, le savoir-faire, etc...
sont si répandus, alors que l'honnêteté est si rare,
un personnage aussi amateur du singulier que
l'était M. de Guiscart ne pouvait que se ranger du
côté de la vertu. Si M. Auligny le père était honnête par nécessité, et le lieutenant par mouvement
profond, M. de Guiscart l'était par bon goût.

Qu'avec une telle vie son corps continuât de

fonctionner bien, qu'il pût, comme si de rien n'était, aimer, nager, ramer, courir, tirer, se fier à ses réflexes, le chevalier disait que c'était là une des *merveilles de la nature.* Mais la douloureuse, dans l'avenir, lui paraissait probable : il faudrait payer tout cela. A quand le premier crachement de sang ? Le ramollissement cérébral ? La glorieuse P. G. ? Ou bien ne deviendrait-il pas fou ? Mais à demain les pensées ennuyeuses ! Ne prévoir pas est un des plaisirs de la vie. Et M. de Guiscart, toutes voiles dehors, cinglait allégrement vers le gâtisme, dans lequel il mettait sa suprême espérance d'artiste. « Quand j'aurai atteint cet âge où les nuits d'amour sont des performances plutôt que des plaisirs, alors, incapable des délices, je pourrai enfin sans remords me consacrer tout entier à mon œuvre, et me faire donner quelques-uns de ces honneurs qui sont une gêne et un ridicule pour un homme dans la force de l'âge, mais adoucissent une vieillesse où, toutes autres passions éteintes, il n'y a plus de vivant en nous que la vanité. »

C'est le dire sous forme de boutade, comme Guiscart le disait souvent. Mais, au fond de soi-même, il faisait confiance à l'avenir, et ne renonçait à rien. Le passé ne l'avait jamais trahi. L'avenir le trahirait-il ? Il y a une certaine grandeur dans ce pari par lequel un artiste, lucidement, rejette à l'époque où ses sens lui manqueront la culture de son intelligence, de son âme et de son pouvoir créateur ; il faut se sentir bien en sécurité avec sa nature pour croire qu'elle vous rendra intactes les facultés qu'on y aura laissé dormir si longtemps. Mais son expérience montrait à Guis-

cart que toujours, jusqu'alors, si loin qu'il eût
poussé le jeu de se perdre, il s'était retrouvé à
volonté ; cette fois il élargit le jeu, et se donne
rendez-vous à soi-même dans un quart de siècle.
En somme, Guiscart mise sur les deux tableaux :
aux sens, qui ne valent que dans la jeunesse, il
livre sa jeunesse, en totalité ; à l'intelligence et à
l'âme, que les années bonifient, il réserve la fin
de son âge mûr et sa vieillesse. Imprudence?
Certes ! Mais toute sa vie est imprudence. Et s'il
gagne, s'il vit assez vieux, et retrouve ses trésors
enfouis, c'est une belle réussite. Le monde dira
de ce coup de dés qu'il a été la sagesse.

En attendant, il était heureux. Sa vie était la
vie même qu'il aurait rêvée, s'il ne l'avait pas eue.
Il n'imaginait rien — rien — de désirable à ses
yeux, qu'il n'eût, ou ne pût avoir à volonté. Ce
qui faisait la tessiture de son bonheur, c'était de
céder systématiquement à ses impulsions, et de
s'épargner systématiquement toute contrainte,
c'était cet affranchissement absolu du moindre
souci moral, social, politique, professionnel, pécu-
niaire, en bref, du moindre souci, — cette vie désintéressée, dénuée de tout désir de jouer un rôle,
à une époque où le dernier des ilotes, et le dernier
des esclaves de cet ilote, ont pour ambition l'*importance*, devenue à ce jeu signe quasi certain
d'ilotisme ou de servilité. Il lui arrivait bien à
l'occasion, quand il lisait dans un Ancien les mots :
« Vie inimitable, » ou *vita chia* (vie digne de Chio),
de se demander : « Connurent-ils plus que moi? »
Mais la réponse jaillissait on eût dit de sa chair :
« Quelle vie que la mienne ! Comme elle me plaît !

J'ai fait d'elle un été perpétuel... » Presque stupéfait parfois de voir comme les choses lui arri-
vaient heureusement, et, après des détours où elles
lui avaient fait côtoyer l'abîme, en définitive tour-
naient toujours à son bien : « Est-ce pure veine?
ou si j'ai enchaîné la fortune par mon savoir-
faire et ma tournure d'esprit? Suis-je le favori du
hasard, ou ne recueillé-je que ce que j'ai semé? »
Mais à cette question, qu'il se posait souvent, il
lui fallait bien répondre, après avoir analysé les
éléments de sa vie, que son bonheur était un
bonheur conquis. Il avait dû passer au travers de
bien des choses, liquider bien des choses, pour
parvenir à ce bonheur. Ce n'était pas un bonheur
volé. Il était son œuvre.

Rien n'était plus intéressant à observer que
l'effort du monde pour persuader M. de Guiscart
qu'il n'était pas heureux, ou pour empoisonner
en lui, par la honte, la conscience de son bonheur.
Tantôt : « Votre vie est grossière, indigne de
vous, etc... », tantôt (avec quels airs profonds !) :
« Vous vous *croyez* heureux. Vous le proclamez
par bravade. Mais vous n'*êtes* pas heureux. Je le
sais ! » — « Eh bien... Eh bien », disait le chevalier,
avec beaucoup de complaisance, c'est-à-dire d'insolence, laissant entendre que peut-être bien, en
effet... afin de consoler ces pauvres gens, de la
souffrance qu'ils ressentaient en le voyant heureux.
Les gens veulent qu'on souffre, pour qu'on soit
comme eux ; ils célèbrent la souffrance, pour en
atténuer l'aiguillon en tirant d'elle vanité ; ils
proclament que leur prison est un palais, et fei-
gnent de plaindre celui qui est en liberté, pour le

dégoûter de son sort. La grande joie des médiocres
est d'atteindre au ton dédaigneux quand ils parlent
à quelqu'un qu'ils envient. Retourner contre lui
l'arme qui les blesse, quelle victoire ! Si Guiscart
avait dit : « Ma seule occupation est bien la recherche de mon bonheur, mais écoutez mon *message* : « La recherche du bonheur est une œuvre
dure, héroïque, une tragédie, etc... », les gens lui
eussent rendu leur sympathie, 1º parce que le
style charlatan les eût éblouis ; 2º parce que,
sachant maintenant qu'il souffrait, ils auraient
cessé de le sentir privilégié. Mais Guiscart, bien
que dans son indolence il mît à l'occasion beaucoup d'énergie, ne faisait pas d'elle une tragédie.
Et ainsi, derrière son univers, comme la sourdine
de l'Océan derrière les bruits du port, il entendait
la rumeur confuse de tous ceux qui espéraient pour
lui une chute retentissante — la méchante histoire, — parce qu'ils le haïssaient d'être heureux
malgré eux.

V

La méchante histoire !

Un puissant fumet d'impunité sortait de la personne de Guiscart. Pourtant il envisageait quelquefois que sa *lebensgaloppade* (1) ne pourrait finir que par la culbute. La perspective de ce que le monde appelle une catastrophe sociale le remplissait d'une satisfaction si intime qu'en l'imaginant il baissait les yeux ; alors, officiellement brûlé, il pourrait se déployer à fond, et on verrait ce qu'on verrait. « Si moi je ne suis pas beau joueur, qui le sera? » Il avait, en y pensant, une brusque exultation de la vie. Pourtant, sa croyance plus profonde était qu'il était *verni*, destiné à passer au travers de tout sans encombre. « Les gens ne se doutent pas jusqu'à quel point ils pourraient oser sans péril. S'ils savaient, ils deviendraient fous, du regret de n'avoir pas osé davantage. »

Pour lui, ce qui le préservait, c'était, pensait-il, la *féerie*. Sa vie n'était qu'une longue imprudence,

(1) « La galopade de la vie. » Mot que s'appliquait à soi-même, au xviiie siècle, le duc Charles-Eugène de Wurtemberg. « Je fus un démon déchaîné. A cela quoi d'étonnant? Tout le monde s'agenouillait devant moi », etc... Cf. Robert d'Harcourt, *la Jeunesse de Schiller*.

sans cesse nourrie et ranimée. Imprudence dans ce qui compromettait sa « carrière », imprudence dans ce qui compromettait sa réputation, imprudence dans ce qui compromettait son bien, imprudence dans ce qui compromettait sa vie : ah ! il ne mettait rien en sécurité. Oui, sa vie elle-même, il avait besoin de la risquer une fois au moins par quinzaine s'il voulait se maintenir en condition : cela faisait partie de son hygiène, et on peut se créer sa jungle partout. Il avait l'habitude de dire : « Celui qui, dans une journée, a risqué, même si ce risque ne lui a rapporté que de la peur, celui-là a mangé et bu. » Et il est vrai que sa chasse, toute chasse aux oiselets qu'elle fût en principe, était malgré tout chasse à la grosse bête ; une fois sur dix, il recevait un coup de boutoir. Mais pour lui tout se passait sur le plan de la féerie. Cela donnait à son audace une simplicité et un naturel qui le faisaient passer intact à travers les périls, comme un homme ivre traverse en zigzags une chaussée encombrée d'autos, et rien ne lui arrive. Il ne se jugeait pas du tout au-dessus des lois, s'appliquant toujours à les respecter quand elles ne le contrariaient pas trop. Mais la féerie expliquait tout, justifiait tout, et il lui semblait impossible qu'on ne lût pas dans son âme la légèreté et l'aisance souveraine de son comportement, ainsi que sa parfaite bonne conscience.

Si un délicieux commissaire de police lui avait dit, avec un air triste et paternel : « Mais enfin, monsieur de Guiscart, vous avez fait un enfant à cette petite ! » — Ou encore : « Mais enfin, monsieur de Guiscart, était-ce pour une séance de pose que

Mme L... se trouvait chez vous à 3 heures du matin? » — Ou encore : « Mais enfin, monsieur de Guiscart, vous allez de Porto aux Canaries, vous restez un jour aux Canaries et revenez à Porto, vous restez un jour à Porto et retournez aux Canaries, vous restez un jour aux Canaries et revenez à Porto ; les autorités espagnoles trouvent cela bizarre, et nous demandent des éclaircissements, que nous vous demandons, et vous nous répondez seulement que « c'étaient des idées qui vous venaient » ! — Ou encore : « Mais enfin, monsieur de Guiscart, comment expliquez-vous qu'on vous trouve à Madrid avec une jeune fille de dix-sept ans, Française, et qui n'a pas de passeport? Vous nous dites : « Elle a passé la frontière sans s'en douter, en faisant une excursion de montagne. » Ce n'est quand même pas une réponse sérieuse ! » — Ou encore : « Mais enfin, monsieur de Guiscart, on vous cambriole, vous ne portez pas plainte, et lorsqu'on s'en montre surpris, vous ne trouvez à dire que : « Je n'avais pas la tête à ce genre de choses en ce moment-là ; » si un délicieux commissaire de police, jeune, bien de sa personne, avait dit tout cela à M. de Guiscart, et bien d'autres choses encore, avec un air triste et paternel, et cependant la sévérité qui convenait à son état (ne fût-ce que dans la crainte que M. de Guiscart ne lui offrît une cigarette), M. de Guiscart aurait répondu :

— Monsieur le Commissaire, je ne puis pas vous faire comprendre une poussière d'actes. Ce qu'il faudrait que je pusse vous faire comprendre, c'est un esprit. Tous ces actes se passent avec la facilité

et le naturel des actes qui se passent dans les rêves
et dans les ballets. Maintenant que vous attirez
mon attention sur eux, je vois bien qu'en effet
ils ont une apparence étrange, et pour tout dire
pas très bonne mine, mais sans vous je ne m'en
serais pas avisé. En outre, je fais souvent des choses,
pour voir. Elles ne me font nulle envie, que celle de
savoir ce qui découlera d'elles. Ce qui est ! Ces
trois syllabes ! La vie est certainement quelque
chose d'extraordinaire. Plus extraordinaire que le
génie. Elle a toujours en réserve de quoi nous
décontenancer. Il est bien rare, quand on l'interroge, qu'elle donne la réponse qu'on attendait.
Poser ces sortes de questions, cela m'obsède. Dans
ma contrée il y a un proverbe : « La vieille ne voulait pas mourir, parce qu'elle en apprenait tous
les jours. » Moi aussi, comme la vieille, j'en apprends
tous les jours. Il y a des après-midi où je suis tranquille au travail dans mon atelier. Et à brûle-
pourpoint je me dis : « Dans la rue, la vie passe.
Il faut que je lui pose une question. » Ah ! cela
ne m'amuse pas toujours. Pour une fois, j'étais
bien en train avec ma palette, et voilà qu'il faut
m'habiller, me raser, etc... Et je sors, et je fais
quelque chose singulière, bien digne, certainement,
d'attirer l'attention de ces messieurs vos... enfin,
de ces messieurs. Et quand je rentre, je me dis,
en retrouvant mes « œuvres d'art » sur le chevalet :
« Eh bien ! c'est ce que je viens de faire qui est
important, et non ces conneries. »

Là-dessus (dans l'imagination de Guiscart), le
délicieux commissaire de police lui disait, avec un
air triste et paternel :

— Monsieur de Guiscart, je tiens compte de ce que vous me dites là. Je comprends bien que les artistes ne peuvent pas avoir une vie comme celle de tout le monde, et que nous devons leur passer quelques petites irrégularités, du moins quand ce sont de véritables artistes, c'est-à-dire des artistes connus. Car, s'ils ne sont pas connus, comment saurions-nous que ce sont de véritables artistes? Mais vous pourriez tomber sur un commissaire qui ne sentirait pas les Beaux-Arts, et vous auriez alors des ennuis.

Et là-dessus Guiscart imaginait qu'après avoir remercié avec émotion ce délicieux commissaire de police, il ne pouvait s'empêcher de lui dire :

— Monsieur le Commissaire, vous ne pouvez pas me causer d'ennuis. Vous le pouvez en me faisant souffrir dans mon corps, en me tordant les doigts avec des pinces, etc... Mais autrement? Si vous me mettez en prison, j'en serai ravi : non seulement cela me permettra de faire mon œuvre, ce que je ne peux pas faire quand je suis libre, à cause de cet appel de la rue dont je vous ai parlé, mais cela me permettra de me reprendre, ce dont j'ai grand besoin, la vie enfournant en moi toujours de plus en plus de choses, et me tirant de-ci de-là. Si vous aboutissez à je ne sais quoi qui soit censé ternir mon honneur, vous ne ternissez rien du tout, car je suis le seul juge de mon honneur ; je ne brave pas l'opinion du monde, plus que je ne la flatte : je n'en tiens nul compte ; on ne me déshonore pas comme cela. Si vous m'infligez une amende, je ne me représente pas, dans l'ordre des amendes que la Justice puisse infliger, une amende

qui soit capable de me gêner réellement. Si vous
m'interdisez le séjour dans telle contrée, je vous
répondrai avec le grand Ancien, qui à coup sûr
vous est familier : « Jette-moi à droite, à gauche.
Partout je posséderai mon Génie secourable ; » et
j'ajouterai : « Mon amour pour cette contrée s'éteignait, parce que j'y allais trop souvent. En me l'in-
terdisant vous rallumez cet amour. Vous créez
le bonheur fou que j'aurai, le jour où l'interdiction
sera levée, bonheur que je n'aurais pas eu sans
vous. » Si vous tentez de m'atteindre dans les
miens, c'est-à-dire — puisque je n'ai plus mes
parents — dans mes femmes ou dans mes enfants,
je vous dirai : « Ma vie était encombrée de vivants.
Je ne pouvais plus m'y mouvoir. En m'en arrachant un, vous créez un vide que je vais chercher
à remplir, et je vais me plaire dans cette recherche,
car j'aime la nouveauté. Chaque fois que quelqu'un
sort de ma vie, je bénis la Fortune, qui déclenche
l'aventure par quoi j'y vais faire entrer quelqu'un
d'autre. » Car il faut vous en faire l'aveu, monsieur
le Commissaire : mon désintéressement est atroce.
Vous pouvez me retirer qui que ce soit ou quoi
que ce soit, je ne ferai pas un geste pour le retenir.
Tout le monde me calomnie, et je ne rétablis
jamais la vérité. Tout le monde me vole : je le sais,
et laisse faire. Tout le monde met devant moi des
barrages, et quand je les rencontre je rebrousse
chemin allégrement, car je ne tiens pas à ce qu'il
y a derrière le barrage.

« Vous voyez donc, monsieur le Commissaire,
achevait Guiscart (toujours en rêve), que vos pouvoirs de me nuire se réduisent à celui de me mettre

la plante des pieds sur un brasero, ce que vous ne ferez pas, vous êtes un homme trop poli. Quoi que vous fassiez d'autre pour me nuire, vous me servirez. En effet, provoquer soi-même la vie ne vaudra jamais d'être provoqué par elle, qu'elle vous saute dessus. Je vivrai donc ! Je sentirai, moi qui me plains toujours de ne pas sentir assez encore ! Il me semble que j'ai un sursaut du sang, un renouveau de jeunesse, à seulement y penser. Sans compter que vous me donnerez l'occasion de défendre publiquement et le front haut mon genre de vie, avec des raisons qu'il eût été trop long de dérouler ici. Ce qui pourra nous mener loin, et peut-être se retourner contre cette société dont vous vous êtes fait le défenseur : ces pouvoirs que vous n'avez pas, moi je les ai peut-être. Et ainsi, en m'arrêtant, d'une part vous ne m'aurez pas puni, puisque vous m'aurez été agréable ; et d'autre part vous n'aurez pas servi la société, puisque je ne lui nuisais pas quand je menais mes entreprises en silence, mais lui nuirai du jour où votre acte indiscret m'aura forcé à les commenter. »

Ainsi rêvait le chevalier des Touches. Et puis il se remettait à la féerie.

Neuf mois de féerie, de jouissance et d'aventure méditerranéennes ; trois mois à Paris, dont un mois de « niaiseries » (famille, relations, reprise en main de ses affaires), et un mois de ce qu'il appelait ses *peinturlureries :* telle était, pour une année, la transhumance habituelle de M. de Guiscart. Quand il avait travaillé un mois aux pein-

turlureries, Guiscart, délivré, poussait un soupir :
« Mon année est faite. »

M. de Guiscart était un homme de foyer : présentement il en avait quatre. Un à Marseille,
avec une *puta* marseillaise, de qui il se connaissait
un garçon, âgé de quinze mois. Un autre à Palerme,
avec la fille d'un marchand de cordages, qui ne lui
avait pas donné d'enfant, les jeunes personnes
siciliennes pratiquant un moyen radical de n'en
avoir pas. Un autre à Jerez de la Frontera, avec
la fille d'un coiffeur, de qui il avait eu une fille,
délivrée de notre vallée de larmes après un faux
départ de quelques semaines. Un autre enfin à
Alger, avec une petite Kabyle, bonniche de son
état, d'où était née une autre fille, âgée aujour-
d'hui de deux ans. Naturellement, M. de Guiscart
avait dispersé beaucoup d'autres enfants ; il y
avait eu une période de sa vie où il nageait parmi
ses bâtards comme Tibère parmi ses *pisciculi*. Mais
il les avait heureusement perdus de vue.

Des quatre foyers de M. de Guiscart, celui de
Marseille était la perfection même : discrétion,
désintéressement, jamais un ennui. Celui d'Alger,
lui aussi, était parfait, fors une légère pointe
d'âpreté chez les parents de la petite. Le foyer
andalou s'éteignait lentement, Guiscart se désaf-
fectionnant de la *Jerezana*, et projetant de retourner au printemps prochain en Andalousie,
pour y fonder quelque part un nouveau foyer, car
il détestait la pensée de n'avoir plus un pied en
Espagne : c'était sa coquetterie, de tenir les quatre
coins de la Méditerranée. Seul le foyer sicilien était,
lui, un Vésuve, d'où coulait sans arrêt la lave du

chantage : ironique résultat d'avoir respecté la
pucelle. Depuis deux ans, tous les enfants de Maria
Gorgoglione, légitimes (elle s'était mariée) ou illé-
gitimes, étaient imputés à M. de Guiscart, et comme
cette famille au nom d'ogre remplissait par endos-
mose la Tunisie, une *famiglia* abominable y persé-
cutait le gentilhomme, jusqu'à lui rendre le séjour
à Tunis impossible.

M. de Guiscart faisait chaque année sa tournée
maritale et paternelle, passant plus ou moins de
temps, selon l'inspiration du moment, dans la
même ville que chacune de ses femmes. Il restait
ainsi les trois quarts de l'année hors de France,
accompagné du *père de famille* (Caccavella), et
n'emportant avec lui que deux valises, et son
automobile. Le chevalier méprisait profondément
l'automobile, symbole pour lui de la vulgarité, de
la prétention et de l'excitation de l'époque. Quelqu'un qui désirait une automobile était classé dans
son esprit ; et c'était déjà mauvais genre que
d'avoir la moindre notion du fonctionnement de
ces mécaniques. A la vérité, il avait bien essayé
d'apprendre ce fonctionnement, mais s'en était
montré incapable, s'étant vu refuser deux fois le
permis de conduire. Son opinion sur l'engin nouveau était d'ailleurs partagée par les personnes de
sa famille qui, presque toutes en mesure d'avoir
une ou même plusieurs automobiles, n'en avaient
pas, jugeant comme lui que c'est là quelque chose
qu'il faut laisser aux classes inférieures. Mais Guiscart y ajoutait cette idée, que le goût de l'automobile témoigne du vide de l'esprit, et que pour un
homme qui a quelque chose dans la tête, l'auto-

mobile, comme la T. S. F., le phonographe, etc…,
n'est qu'un dérangement : ce sont des plaisirs de
brute. Un dérangement, voilà le mot ! Tel était le
genre de vie de Guiscart, que sa voiture lui était
une gêne. N'ayant pas d'« affaires », et très rarement
quelque chose qui le requît à heure fixe, abhor-
rant la campagne (le cafard fou que peut donner,
par exemple, la vue d'un troupeau de vaches),
divisant sa vie en deux parts, l'une pour le travail,
qui se fait au logis, et l'autre pour la vadrouille,
qui se fait à pied, son automobile ne lui servait à
rien. Quant au plaisir de la vitesse — « prostituée
sans grâce que la foule possède », comme Renée
Vivien l'a dit de la douleur, — c'était un plaisir
si imbécile qu'il n'était bon que pour les jeunes
gens et les grues, et Caccavella entendait quelque
chose quand, sur la route, il s'oubliait à faire un
dépassement : la vanité de dépasser une voiture,
parce qu'on a une voiture plus forte, est un des
sentiments les plus stupides que la nature humaine
ait jamais conçus, pensait le chevalier. Si, avec
tout cela, il possédait une automobile, c'était qu'il
avait cru qu'elle lui faciliterait ses aventures, ce
qui déjà était douteux, car elle le décelait partout,
soit par sa seule présence, soit par son numéro,
qu'il était facile de contrôler. Et puis, les services
qu'elle avait pu lui rendre à ce point de vue étaient
annulés par les embêtements matériels qu'elle lui
créait, et surtout par le malaise moral que lui causait cette concession incompatible avec ses prin-
cipes de vie. Et lorsqu'enfin il s'en défit, son existence acquit du jour au lendemain un surcroît
très sensible de liberté et d'agrément ; du jour au

lendemain il rajeunit, comme un homme qui vient de divorcer.

Le père de famille, lui, n'était pas inutile, fichtre. Qu'il suffise d'imaginer le classique Maître Jacques de la Comédie, on ne sera pas loin de la réalité. Certains traits, certaines situations, certains personnages semblent n'être que de vénérables clichés littéraires ; et un jour, avec une surprise enthousiaste, on les trouve dans la vie, identiques à l'image qu'on en avait, simplement parce que, malgré l'apparence, ils ne sont pas des créations artificielles : ils sont de la vie et c'est de la vie qu'ils sont passés dans les livres. Si nous disions que, dans un des appartements de Guiscart, il y avait, auprès de la fenêtre, sous un fauteuil, une bonne corde à nœuds toute neuve, destinée à lui permettre de descendre sur une terrasse voisine, en cas d'alerte grave, quel lecteur ne hausserait les épaules en murmurant : « En fait d'insanités à la Fantômas, l'auteur pourrait au moins en trouver d'un peu plus neuves » ? Et cependant cela était, mais l'auteur ose à peine le dire ; il ne l'avait pas osé tout à l'heure, quand il décrivait l'appartement du chevalier. De même, chauffeur, homme de paille, secrétaire, rabatteur, espion, garde du corps, domestique, à l'occasion devenant — s'il s'agissait, par exemple, d'avoir un témoin pour un duel, dans une ville de passage — un vieil ami de M. de Guiscart, Caccavella semblait être un personnage d'un romanesque tout conventionnel ; et il l'était, mais de ceux qui ne sont conventionnels qu'à force d'avoir été véritables. Les mêmes raisons qui avaient fait pulluler les Caccavella, au

cours du passé, en terre méditerranéenne — d'où
ils étaient sautés sur le théâtre et dans les romans
d'aventures, — l'avaient fait se trouver un jour
auprès de Guiscart et s'y développer selon les
lois connues : un produit spontané des circonstances et du milieu. A Naples vivait la maisonnée
du père de famille. Quand Guiscart traversait
Naples, il ne manquait pas d'aller cajoler les bam-
bini, tout content de rencontrer enfin des petits
garçons italiens dont on ne lui disait pas qu'ils
étaient de lui. Les petits Caccavella étaient cinq
et demi : cinq garçons et une fille. M. de Guiscart
disait dix, quand il parlait du père de famille,
par générosité d'esprit.

Cet après-midi, qui était celui du jour où Guiscart, rentré à l'aube, et décachetant l'enveloppe
d'Auligny, s'était écrié : « Il m'offre sa Bédouine !
Comme si je n'étais pas sursaturé de filles arabes !
Quel daim ! », le peintre faisait ses valises, partant
le soir pour Birbatine. Plus précisément, étendu
sur son lit, il regardait sa femme, El Akri, faire
ses valises, car l'axiome, juste en Europe, qu'il est
infernal d'avoir pour maîtresse son employée ou
sa servante, devient inexact en pays musulman,
et même Guiscart disait d'El Akri : « Elle est aussi
ma servante, et *c'est pourquoi* je la considère véri-
tablement comme ma femme. » Et le chevalier,
voyant sa maîtresse, avec des soins charmants,
disposer dans la valise les pyjamas qui lui servi-
raient avec Ram, jugeait que la vie est bien faite,
et remerciait sa Fortune. Son départ pour Birbatine, Guiscart l'avait trouvé décidé en lui, ce
matin, à son réveil. La personne qu'il recherchait

depuis trois jours, dans Alger, et tout le reste, il envoyait tout promener. Ce qu'il voulait, en dernière heure, c'était posséder Ram, et presto. Comme un projecteur qui se déplace, toute sa vie, brusquement, était centrée sur cette inconnue, et le reste plongé dans l'ombre. Et il cédait à son impulsion, la conscience délivrée et légère, dans le sentiment joyeux du devoir inaccompli.

La petite fille qu'il avait d'El Akri — elle s'appelait Roumita (1) : Guiscart laissait ses femmes donner les noms qu'elles voulaient à leurs enfants, comme on s'en remet à la cuisinière de donner des noms aux petits chats — vagabondait par l'appartement, traînant derrière elle un chameau en peluche, torturant le chat, se cramponnant à la grille du balcon, et saluant d'un « Toto ! toto ! » chaque véhicule qui passait, cérémonie qui se terminait invariablement par la chute du chameau, tombant du balcon dans la rue Michelet, où El Akri, se voilant le visage, descendait quatre à quatre le chercher. Roumita, debout sur une table surmontée d'une glace, se regardait dans la glace en s'y appuyant des deux mains, et elle y laissait la marque de ses menottes sales, comme si un petit ours s'était dressé là contre. « Si j'étais un père modèle, se disait Guiscart, j'irais sans doute, furtivement, baiser ces empreintes drôlettes. Mais il faut être franc avec soi-même : cet acte attendrissant ne me fait pas envie. »

---

(1) Mot forgé sur *roumi* — « chrétien », et, par extension, « Européen » — par les Marocains du Maroc espagnol. *Roumito, roumita :* petit chrétien, petite chrétienne.

La façon dont il avait connu El Akri était fort
simple. Il déjeunait à la terrasse d'un restaurant
d'Alger lorsqu'il avait vu cette fillette à un balcon,
et remarqué qu'elle le regardait. A son tour, il
l'avait fixée un peu. Alors elle s'était mise à
baiser le poupon qu'elle tenait dans ses bras (le
poupon de ses patrons ; elle était bonniche). Deux
ou trois fois, le regardant, à l'instant elle avait
couvert de baisers le poupon. Ce gracieux manège
avait plutôt indisposé Guiscart, qui trouva qu'elle
s'offrait trop, et il avait voulu donner sa chance au
hasard, en décidant qu'il ne la prendrait que si,
revenant deux fois déjeuner à ce restaurant, il
la voyait au balcon l'une des deux fois. Jouée ainsi
à pile ou face, El Akri gagna : la seconde fois il la
revit. Le chevalier se dit alors que cela était écrit
dans le ciel, et qu'il ne fallait pas provoquer le
destin. Il la prit, et en fut satisfait : elle était d'un
usage facile, avec une jouissance excellente. Il la
nomma El Akri, qui signifie *le rose foncé*, parce
que le jour du balcon elle avait des culottes de
cette couleur. L'année suivante naissait Roumita,
un des parachutes s'étant déchiré.

El Akri était maintenant une petite personne
de dix-sept ans, plutôt maigrichonne, pas bien
jolie, mais d'une vivacité de bête, ne tenant pas
en place, et, pour tout dire, résumant dans son
vibrionnage perpétuel rien moins que trois hys-
téries : l'hystérie féminine, l'hystérie de l'adolescence, et l'hystérie arabe. Quand elle gardait, dans
le square Bresson, les enfants de ses patrons juifs
(il eût été plus exact de dire qu'elle était confiée
à la garde des enfants), ses courses déhanchées

à droite et à gauche, son effronterie à se mêler aux jeux des garçons, ses colères de singe, ses cris d'ara, sa maladresse de chiot provoquaient les ronchonnements des retraités, assis sur les chaises dont ils se refusaient à payer le prix, parce que le chaisier était un Arabe, et qu'un Arabe, même fonctionnaire, reste sans pouvoir sur un Français. Mais El Akri, turbulente, n'était pas acariâtre. D'ailleurs, chez Guiscart, on ne savait pas ce que c'était qu'une *scène*, — la Scène, rouage essentiel de la bourgeoisie française. Si El Akri entrait en dissidence, Guiscart la prenait doucement par la nuque (serrant un peu si elle résistait) et la mettait dehors. Deux heures plus tard, sortant, il la trouvait assise sur une marche de l'escalier, les jambes écartées comme un garçon, et jouant avec ses nattes. El Akri n'était pas seulement ce qu'on appelle « une bonne petite fille », elle était *bonne*. Guiscart le savait, et il l'aimait beaucoup.

Il l'aimait beaucoup. Et pourtant, l'an prochain, vieille déjà pour une fiancée — dix-huit ans ! l'automne d'une femme... — elle se marierait. Guiscart verrait passer par les rues l'autocar chargé des invités de la noce, dans le tremblotement des flûtes jouées par les musiciens juchés sur l'impériale. Songeant à cela, il pensait : « Une mélancolie... » Ensuite il devait bien se dire qu'il n'aurait pas de mélancolie, non, rien qu'un radieux « en avant ! » sonnant l'ouverture de la chasse, de la chasse en vue de remplacer El Akri. Mais Roumita ? Eh bien ! Roumita, on verrait... Lorsqu'on se connaît mobile, à quoi bon prévoir ? Guiscart ne se décidait qu'acculé, et s'en était toujours trouvé bien.

A vrai dire, Guiscart ne tenait guère à sa fille. El Akri enceinte, il avait eu le mot qu'ont prononcé, des lèvres ou en esprit, tous les pères latins, depuis qu'il y a une Méditerranée : « Si c'est un garçon, je l'aimerai bien. Si c'est une fille, je la foutrai en l'air. » Pourtant il l'avait laissée vivre : telle est la force de la coutume. Mais, de fureur et de honte, il avait fait une éruption de boutons. Et puis, il y avait chez lui une impossibilité quasi physique de tendresse pour les très jeunes enfants : ils le dégoûtaient. Il était obligé de prendre sur lui pour baiser Roumita. « Vraiment, il ne faut pas être fait comme tout le monde pour avoir envie de baiser un bébé. »

Pourtant l'avenir restait ouvert. Plus que la curiosité de savoir ce que seraient ses enfants, il avait celle de savoir ce qu'il serait à l'égard d'eux. Les aimerait-il? Et jusqu'à quel point? Et de quel amour? Par exemple, son fils, Barbouillou, bonhomme de quinze mois, qu'il allait voir chaque année au Rouet (1), il était assez fier de lui. Quand Mme Muguette prenait son fils dans ses bras, et, soulevant sa petite jupe, faisait « faire risette » au minuscule organe de l'enfant, et ensuite se baisait les doigts (une vieille superstition méditerranéenne, connue déjà dans l'antiquité), quand elle lui disait, avec un amour déjà plein de respect : « Petit chiqueur, va (2) ! » ou bien lui apprenait

(1) Faubourg de Marseille.
(2) Chiqueur : souteneur.

les *rudiments du langage* : « Allez, dis-moi : « Le
c... de ta mère ! », Guiscart, devant ce bébé au
front bas, aux sourcils froncés, portant déjà
comme une mauvaise espérance toute la séduction
et toute la férocité de la race, avait un amusement
content qui eût pu passer, à la rigueur, pour les
délices de l'amour paternel. Il l'imaginait, plus
tard, gamin *morito*, en blaser de teintes féeriques...
Et, plus tard... Il se souvenait alors d'un de ses
premiers regards, quand on lui avait présenté le
bébé frais éclos. Il avait regardé la main droite de
l'avorton, en se disant : « Peut-être qu'elle me
tuera. On devrait la couper, pendant que c'est
encore tendre... » C'était chez lui, depuis longtemps, une idée constante, qu'il mourrait de la
main d'une de ses femmes ou d'un de ses enfants.
« Et je ne l'aurai pas volé, » ajoutait-il. Par contre,
s'il ne mourait pas de mort violente, son égalité
d'âme, et l'heureuse disposition avec laquelle il
prenait les événements, devaient, pensait-il, lui
garantir une longue vieillesse.

Quand la valise fut prête, il y eut une scène
classique : El Akri, en avant, d'une main traînant
sur les marches la valise, de l'autre portant Roumita. Guiscart, derrière, tenant le chat dans ses
bras, qu'il allait confier à la concierge (il louait
des chats ou des chiens, pour un, deux mois, comme
on loue une villa ; celui-ci était un fameux chat :
toutes les fois qu'on le déplaçait de deux étages,
il en profitait pour se marier). A la concierge, Guiscart dit qu'il partait pour la Tunisie : toujours
il prenait soin de brouiller ses traces.

Sur le quai de la gare, il y eut la troisième scène

classique : Guiscart, très désinvolte, faisant celui
qui ne comprenait pas qu'El Akri attendait qu'il
la baisât. Le train parti, le chevalier eut un petit
plaisir. Comme, dérogeant à sa coutume, qui était
d'avoir de la tenue, il chaussait des babouches pour
la nuit, il se rappela soudain la présence de cinq
billets de mille sous la semelle intérieure d'un de
ses souliers. Se déchaussant dans un taxi, il les
avait glissés là, la nuit dernière, quand il avait
senti que l'aventure allait le conduire dans la
kasba, et qu'il était prudent d'avoir un portefeuille
à peu près vierge, qu'on pût abandonner sans mal
en cas de coup dur.

Passé Oran, le chevalier eut un second petit
plaisir. Il avait fort soif. Un monsieur, en face de
lui (ils étaient seuls dans le compartiment), buvait
de temps en temps à une bouteille de vin, qu'il
replaçait ensuite dans le filet. Quand ce monsieur
se leva et sortit, Guiscart, s'étant assuré que le
voyageur avait grande affaire dans les cabinets,
saisit la bouteille et but tout son saoul.

Il posa les doigts sur ses paupières, toujours dou-
loureuses, d'homme qui ne dort pas assez. Puis il
ouvrit son portefeuille, et en tira ce qu'il appelait
son Tableau de Chasse, plusieurs feuillets de cale-
pin, joints ensemble par du papier gommé. Dans
ce geste, la photo de Barbouillou sortit un peu du
portefeuille ; il la prit, la regarda avec sympathie.
« Quand même, à un an, ce qu'il a l'œil cochon ! »
Il la rentra. « Bonne nuit, gosse. Fais de beaux
rêves. Ton papa va être heureux demain matin. »
Le Tableau de Chasse, c'était sa liste, sa fameuse
liste, non des *mille e tre*, mais, modestement, des

cent quatre-vingt-neuf femmes qu'il avait eues
(aucune d'elles n'étant une professionnelle). Guiscart portait toujours, sur lui, le Tableau de Chasse
dans son portefeuille. Sitôt que l'envie lui en
venait, il pouvait ainsi s'en repaître. Il le relisait
avec la satisfaction de l'auteur relisant la liste
de ses Œuvres complètes, et c'était bien, exactement, cette satisfaction-là, puisque, ses œuvres,
c'était sa vie. Il l'étudiait, en tirait des leçons. Il
le consultait chaque soir avant de se coucher.

Guiscart saisit le Tableau de Chasse, le baisa,
le parcourut des yeux, avec un sourire épanoui.
Pourtant, quand il lut le nom de la femme qu'il
avait obtenue il y avait un an jour pour jour, son
sourire s'éteignit, il eut comme une défaillance
dans les genoux. « Déjà un an ! » Au haut de la
première page il avait écrit le vers de Keats : « O
mon Dieu ! donnez-moi une vie de sensations plutôt
qu'une vie de pensée. » Chaque femme était inscrite
sur une ligne, d'abord par un numéro d'ordre, puis
par ses initiales, ou son prénom, ou un ou deux
mots qui permissent de la reconnaître (certains de
ces noms, toutefois, n'évoquaient plus aucun
visage au chevalier). Suivaient l'âge, la nationalité,
l'indication de la manière dont la touche avait été
accrochée — regard, attouchement, conversation, entremetteur, etc..., — l'heure à laquelle
le consentement avait été acquis, et le temps qu'il
faisait à ce moment, le lieu et la date de la première, et parfois unique possession, enfin quelques
signes cabalistiques rappelant les caractères remar-
quables de la jouissance de cette personne, et un
chiffre qui était la note que Guiscart lui donnait,

sur 20, selon le degré de plaisir qu'elle lui avait
procuré. Dans les blancs du carnet on voyait,
tracées au crayon, afin de pouvoir être effacées
et tenues à jour, des statistiques : statistique par
nationalités, statistique par années, statistique
par modes d'accrochage, statistique par « heure »,
statistique par « temps qu'il faisait ». Là éclatait
le rôle joué par la superstition dans la chasse du
chevalier, car d'après ces statistiques, dont il se
pénétrait, le chevalier se livrait à tout un calcul
des probabilités sur lequel de fois à autre il basait
sa stratégie, bien que ses calculs s'avérassent faux
sans jamais d'exception. Le chef-d'œuvre de bureau-
cratie érotique que constituait ce Tableau de
Chasse de M. de Guiscart avait quelque chose de
légèrement sénile dans sa beauté minutieuse,
comme si l'ombre de la glorieuse P. G. s'étendait
sur lui.

La dernière femme portait le numéro 189. En
de pareils cas, Guiscart d'ordinaire se hâtait de
prendre n'importe quoi, pour faire un chiffre rond,
de sorte que les demoiselles qui dans sa liste portaient un numéro d'ordre terminé par un zéro
étaient généralement des sortes de figurantes, des
bouche-trous : c'est le cas de le dire, elles comp-
taient pour zéro. Sur la ligne suivante du carnet,
Guiscart écrivit avec volupté le chiffre 190, qui
allait faire cette fois une exception si notable.
Néanmoins, toujours prudent, il ne le fit pas suivre
du nom de Ram, car il ne faut pas vendre la peau
même d'une petite oursonne. A ce moment, devant lui, dans la vitre, une étoile filante raya le
ciel, comme entraînée par une cascade invisible.

« Naturellement, j'ai oublié de faire un vœu. Mais
quel vœu? Eh bien ! d'être toujours aussi heureux
que je le suis, et de le savoir sur le moment. » Puis
il baisa de nouveau le petit carnet, le rangea dans
le portefeuille, à côté de la photo de son fils, de
son passeport, et de deux lettres fort aimables à lui
adressées, qu'il gardait en cas d'alerte, pour le
délicieux commissaire de police, l'une de Léon
Blum, et l'autre de Foch (les délicieux commissaires
de police n'ont pas tous les mêmes préjugés politiques). Enfin M. de Guiscart se coucha, bénissant
sa Fortune, et après quelques minutes s'endormit,
en homme qui a la conscience tranquille. Bientôt
un sourire enfantin se dessina sur ses lèvres : le
fantôme de sa mère y eût reconnu une expression
de sa douzième année. C'est que, non content d'y
occuper ses journées, M. de Guiscart chassait en
rêve, et il venait de réussir en rêve un levage difficile, avec une audace, une sûreté, une rapidité,
une discrétion, une économie des moyens (quoi
encore?), bref, dans un style tellement éblouissant...

VI

Le lendemain matin, Auligny et Guiscart, dans la maison Yahia, attendaient Ram. Le rendez-vous était à 9 heures. A 9 heures et demie, elle n'était pas venue.

— De quoi t'étonnes-tu? disait Guiscart. Tu sais combien elle est réservée. Tu as senti toi-même, tu me l'as raconté, qu'il était mieux d'éteindre la lampe quand tu te déshabillais, pour qu'elle ne te vît pas nu. Je pense qu'en ne venant pas elle veut te faire comprendre qu'elle n'est pas à la disposition de n'importe qui, sur un simple mot de toi, et encore moins de quelqu'un qu'elle n'a jamais vu. Et qui sait si elle n'a pas craint une partouze, dont l'idée doit la révolter?

— Mais enfin, sapristi, c'est quand même une prostituée! Si je voulais, je saurais les noms de tous les officiers avec qui elle a été. C'est une pros-tituée , et sous l'œil bienveillant de son papa!

— Prostituée, mais dans de certaines conditions de l'amour arabe, qui sont la réserve et la discré-tion, bref, la pudeur. Je pense que tu en as déjà assez vu pour savoir que nos fantaisies sexuelles sont inconnues des Arabes, que naturellement elles révoltent, et qui n'y prennent goût que quand

nous les leur apprenons. La volupté et la tubercu-
lose sont les deux premiers dons faits par notre
chère patrie aux musulmans d'Afrique. Il faudrait
peut-être excepter les Kabyles, qui sont, pour
employer un terme de pensionnat, « vicieux »,
parce qu'ils sont plus intelligents que les autres.

— Et pourtant, je t'avais annoncé comme un
homme généreux !

— L'argent ! Partout tu vois des Arabes qui
pourraient gagner plus qu'ils ne gagnent, et ne le
cherchent pas, parce que le surcroît de peine que
cela leur coûterait ne serait pas compensé à leurs
yeux par le surcroît de gain. La moitié des Arabes
employés perdent leur place, chaque année, simplement parce qu'ils veulent retourner chez eux
pour y passer les jours de l'Aïd (1). A Paris, jadis,
j'entendais dire de l'Afrique : « Là-bas, tout
s'achète. » Quand j'ai eu vécu quelque temps ici,
je me suis dit : « C'est à Paris que tout s'achète. »
Un indigène fera peut-être n'importe quoi pour
de l'argent s'il a un besoin immédiat d'argent,
mais il s'y refusera avec fermeté s'il ne doit avoir
besoin d'argent que le lendemain, tandis que
l'Européen se vendra toujours, parce qu'il songe
au lendemain, auquel l'Arabe ne songe pas. Le
diable emporte les gens désintéressés ! Ils ne sont
bons qu'à brouiller le jeu. Coquins d'Arabes, ils
m'ont souvent mis en colère, avec leur stupide
entêtement à refuser ce que je leur offrais ! Tout
cela parce qu'ils n'ont pas l'imagination du lendemain ! Il est vrai que je me consolais en pensant

(1) Une des fêtes musulmanes.

que je n'aurais qu'à me trouver là le lendemain...

Auligny n'y tint plus et sortit. Peut-être la rencontrerait-il dans le voisinage. Sinon, eh bien ! il sauterait le pas et l'enverrait chercher, sous prétexte qu'elle devait servir de modèle à Guiscart. Il n'avait pas fait cinquante pas qu'il l'aperçut, un paquet de chandelles sous le bras, semblant rentrer chez elle.

— Eh bien?

— Bonjour, dit-elle, de sa voix tranquille, nullement décontenancée.

— Alors, tu ne viens pas?

— Je peux pas.

Auligny, pressant, fit valoir tous les arguments qu'on devine, le voyage de Guiscart, sa dépense, l'argent qu'il lui donnerait, qu'il était jeune et bien...

— Vous, je vous connais. Deux, comme ça, c'est pas du travail.

— Mais enfin, tu as juré, sur la tête de ton père !

— J'ai dit que je *pouvais* jurer, si vous le vouliez, sur la tête de mon père. Mais vous ne m'avez pas demandé de le faire.

— Ça, c'est du jésuitisme.

— Oui, dit-elle.

Mais Auligny était si agacé que cela même ne le fit pas rire.

Des indigènes, en passant, les regardaient. La situation devenait intenable.

— Eh bien ! on te donnera cinquante francs. Et mon camarade, tu entends, *ne te touchera pas*. D'ailleurs, je resterai là. Mais il est peintre, il fera ton portrait. Allez, va en avant, je te suis.

Elle se mit en marche vers la maison Yahia. Avec quelle lenteur ! A cinq, six reprises elle s'arrêta, interpellant l'un ou l'autre, stationnant devant des éventaires de marchands. Pour la première fois, Auligny se sentait en droit de se plaindre d'elle. « Elle le fait exprès ! » Elle était à trente mètres de la maison qu'elle s'arrêtait encore, en extase devant un vendeur de légumes. Auligny, furieux, s'était enfoncé dans une ruelle. Et soudain... soudain il la vit qui, tranquillement, revenait sur ses pas, s'en retournait vers chez elle. Cette fois la colère lui enleva toute prudence. Il marcha sur elle, la prit par le bras :

— Je rentre chez moi et laisse la porte ouverte. Si dans cinq minutes tu n'es pas là, jamais plus tu ne reviendras chez moi, jamais plus, tu entends !

Il entra, laissa la porte de la courelle entrouverte, se colla derrière, écoutant. Guiscart, de la pièce, le regardait avec des yeux rieurs, sans mot dire, en homme habitué à ces complications. Une minute passa. Puis il la sentit, de l'autre côté de la porte. Il ouvrit et elle se faufila.

Auligny dit à voix basse à Guiscart :

— Il y a eu un peu de résistance. Fais d'abord un dessin d'elle, parle-lui, apprivoise-la, mais sans la toucher. Je vais rester avec vous, je le lui ai promis. Ensuite nous verrons, et cela s'arrangera.

Guiscart fut tout de suite frappé par l'expression d'honnêteté et de paix qui émanait du visage de Ram ; il vit qu'elle était digne d'être aimée. Il dit qu'elle était comme une pleine lune sur une mer étale. Ce qui l'amusait aussi, c'était sa voix lente, posée, sourde et comme sombre, comparée

à la voix aigre, désagréable — au service de l'argot
français et des expressions les plus mal embou-
chées — d'El Akri et des « Mauresques »
d'Alger.

Maintenant elle était là, portant ses seins devant
elle, enveloppée de l'air seul pour tout vêtement.
Guiscart la jugea admirable. « Enfin, des seins ! »
Cela semblait incroyable, qu'elle fût du même sexe
que ces Parisiennes qui venaient se présenter chez
lui comme modèles, et de qui les dos déjetés et
blêmes évoquaient une planisphère céleste où les
étoiles seraient des boutons, et les planètes des
marques de ventouses ; tout cela, à peine dévêtu,
attirant les mouches comme de la viande avariée.
(Par une ironie qui en dit long sur le défaut du
sens esthétique chez les artistes et dans le public,
c'étaient *toujours* les corps des modèles profes-
sionnels qui étaient les plus affreux ; et les malheu-
reuses cependant vivaient de cette horreur !) Dans
l'Europe civilisée, la femme avait été comme
livrée au vandalisme dans les éléments les plus
certains de sa beauté : le pied et les seins déformés
par l'arbitraire de la mode ; les épaules, par le
manque de vie physique. Et comment pouvoir
désirer — c'est-à-dire, *ensuite*, chérir avec tendresse — une femme qui n'avait pas de belles
épaules ? Comment l'amour pouvait-il survivre à
ce massacre des seins innocents ?

Mais pour Guiscart, qui se rappelait les pieds
chétifs, racornis, maltraités, marqués en rose par
la pression du soulier, des « modèles femmes »
de Paris, et les pieds grossiers, couverts de maux
divers, toujours sales et malodorants, des « modèles

hommes », c'étaient surtout les pieds de Ram qui
le retenaient : il les jugeait une absolue magnifi-
cence. Guiscart disait souvent que, de même que
les neuf dixièmes des gens ne remarquent pas l'intelligence sur un visage — des milliers de gens
croisent un prince de l'esprit sans rien distinguer
sur ses traits qui le rejette à part des autres pas-
sants, — de même, le sens de la beauté du pied
est complètement perdu dans le monde moderne ;
le mot *pied* y fait rire, et c'est tout. Les pieds de
Ram étaient ceux des êtres qui vont pieds nus :
grands, larges, pleins, solides, tout sombres, mais
la plante éclairée, comme si elle recevait le reflet
du feu ; le talon n'en était pas même fendillé,
comme il l'est souvent chez les indigènes ; elle
avait toujours marché pieds nus, et il semblait
qu'elle n'eût jamais marché sur eux ; ils étaient
brûlants quand Guiscart les toucha (car, tout de
suite, il avait commencé d'eux une étude). Et
ces pieds semblaient avoir leur sensibilité et leur
intelligence propres. Maintenant qu'elle était
étendue, sans cesse leurs orteils bougeaient avec
indépendance ; tout à l'heure, prenants, ils épou-
saient le sol ; les orteils, quand elle descendait une
marche, s'abaissaient, contournaient le rebord de
la marche. Les pieds de Ram étaient des personnes,
qui se suffisaient à elle-mêmes ; on en aurait été
amoureux comme de personnes. Il semblait impossible que la créature à laquelle ils appartenaient
pût être vile. Mais pour Guiscart, qui aimait le
naturel, et détestait le mensonge, il y avait dans
ces pieds émouvants un mensonge, le henné qui en
teignait les ongles ; et la laideur et le ridicule de ce

barbouillage ne cessaient de l'offenser, comme du rouge sur les lèvres d'une Européenne.

Guiscart dessinait. Il n'avait apporté qu'une planche, deux estompes, une gomme et un crayon mine de plomb. En ce temps-là, il ne cherchait plus à faire que des lignes, dédaignant la couleur, qu'il disait vulgaire : du moins c'était sa disposition du moment. Désinvolte, la planche sur les genoux, la main posée avec nonchalance sur la table, il dessinait Ram, sifflant à tue-tête, comme un peintre en bâtiment sur son échelle. Auligny le trouva très *jeune*, et le lui dit. Guiscart dit : « Je reste jeune parce que je ne suis pas hypocrite. » Auligny rit, avec l'air de supériorité des petits jeunes gens, quand ils ne comprennent pas quelque chose. Guiscart pensa qu'il fallait commenter un peu : « La meilleure recette pour conserver la jeunesse, c'est 1º de faire tout ce qui vous tente à l'instant où cela vous tente ; 2º de ne pas se contraindre pour faire des choses qui vous sont désagréables, non plus que pour paraître ce qu'on n'est pas ; 3º et enfin, mais cela va de soi, d'être sans ambition. » Auligny trouva cela « trop simple », et rit de nouveau.

Maintenant Guiscart s'animait, et, cette harmonie corporelle qu'était Ram insufflant en lui ce qu'insuffle en un chef d'orchestre l'harmonie musicale, il avait les mêmes mouvements de tête qu'a le maestro, les mêmes rejets du buste en arrière. Parfois il s'arrêtait tout à coup, devant quelque problème incompréhensible pour un autre que lui. Ce qu'il voulait, c'était une ligne pure, et, avant de la tracer, il avait de l'inquiétude, hésitait un instant, n'osait se lancer, la bouche entrouverte, comme un équilibriste qui se dispose à exécuter un exercice périlleux. « Je souffre, » dit-il à voix haute. Sa nervosité était visible à son tic de passer la main sur le papier pour essuyer les raclures de la gomme, même s'il n'y en avait pas. Cramponné maintenant à la planche, comme à son volant le conducteur d'une auto de course, l'angoisse sur les traits, il créait la ligne, et aussitôt son visage se détendait, ou bien au contraire il y venait cette expression excédée du matador qui, pour la N^e fois, a manqué son coup : rapide succession de soleil et d'ombre, comme le ciel se couvre et se découvre, d'instant en instant, sur certains points névralgiques de la terre.

D'abord Ram, devant cette mimique, avait eu un grand sourire. « Pourquoi souris-tu ? » demanda Guiscart. « Parce que vous me regardez. » Et Auligny admira la délicatesse de cette réponse, alors qu'elle souriait à cause des grimaces du peintre. Mais bientôt elle se mit à trembler, fatiguée de garder si longtemps la pose. Ne sachant pas que la fatigue musculaire fait trembler, une expression de peur vint sur ses traits. Dans un mouvement qui émut Auligny, elle se tourna vers lui, comme pour le prendre à témoin qu'on abusait d'elle, et lui demander aide. Guiscart suspendit la pose, fatigué, lui aussi, de la fatigue nerveuse de sa création. Sur son dessin il voyait un coup de crayon dominateur, quand tout cela avait été fait dans une telle anxiété.

Ram et Auligny regardèrent l'œuvre. Et, tout de suite, Auligny entra dans le sublime bête.

Dans le sublime bête de l'admiration incompé-

tente, et de l'amour niais qui s'abîme dans l'image
de son objet : tout au moins est-ce ainsi que Guiscart vit cela. Le plaisir d'Auligny parut à Guiscart
de la même qualité vulgaire que celui de la femme
qui veut que le rendez-vous que vous lui donnez
soit dans un endroit *poétique* : à Bagatelle, par
exemple, ou bien dans une « boîte » russe. « Magnifique ! s'écria le lieutenant. Magnifique ! » Auligny
n'était pas assez avancé dans la Haute-Culture
pour dire, comme disent les gens *qui savent :*
« un faire formidable, » ou « la spiritualité du modelé ». Guiscart pardonna tout, sachant que c'est
une tragédie sociale, que devoir exprimer, en
termes intelligents, ou apparemment tels, des
sentiments d'admiration pour une œuvre d'art
qui ne vous donne *aucun* sentiment, comme c'est
le cas pour la plupart des œuvres d'art, ou même
pour une œuvre qu'on admire ; et il le savait par
expérience, étant incapable de formuler quoi que
ce soit sur l'œuvre d'un peintre, sinon : « Ça tient
le coup, » ou « Ça n'existe pas », et la terminologie
de l'extase critique, avec le faire formidable, et
la spiritualité du modelé, ne lui revenant que lorsqu'il s'agissait de ses propres œuvres, quand il
écrivait sur elles des articles que signait, à titre
de revanche, un ami sûr, — jamais si sûr cependant
que Guiscart ne lui envoyât l'article que tapé à la
machine, afin de pouvoir en désavouer la paternité.

Le portrait de Ram, en effet, avait été une découverte pour Auligny : la découverte que le chevalier
avait du talent. Car, comme il est logique, cette
disposition si profonde en Guiscart, de *ne vouloir*

pas paraître, s'était tournée contre lui. Comme
Guiscart faisait dévier la conversation quand
l'officier lui parlait de ses œuvres, Auligny avait
cessé, sans y penser, d'associer l'idée de peinture,
et même celle de notoriété, à la personne de Guiscart, et, s'il se souvenait qu'il était peintre, c'était
pour passer légèrement là-dessus, en se disant
seulement que Guiscart avait bien de la veine, de
gagner beaucoup d'argent sans rien fiche. Du
dédain, Auligny sauta au respect, avec la même
ingénuité que ces petits gars d'Alger que Guiscart
faisait poser chez lui et qui, regardant d'abord
son attirail avec défiance, ensuite, devant leur
image, s'avouaient vaincus : « Y a pas à dire, c'est
capable, » et, d'enthousiasme, envoyaient toute
leur parenté, qui sonnait chez le peintre, à des
heures impossibles : « Je suis le cousin d'Edgar.
C'est lui qui m'envoie. A savoir si vous voudriez
pas me *faire la carrure.* »

Guiscart avait commencé un autre dessin de
Ram. Mais était-ce Ram qu'il dessinait? D'abord
il avait bien reproduit ses traits ; et puis, en chemin, une inspiration était venue, et la forme qui
peu à peu apparaissait sur le papier ne rappelait
quasiment en rien celle de Ram, bien qu'il continuât d'instant en instant à lever les yeux pour se
référer à son visage, tandis que sa main traçait
ce visage imaginaire, — né de quelles régions
obscures? Puis il enleva un croquis d'elle, dans
une autre pose, où il lui fit une tête de serpent.
Tout ce temps, Guiscart sentait les yeux d'Auligny
fixés sur lui, ces yeux pleins d'une admiration que
jamais il n'y avait vue, et ce regard l'indisposait.

Il avait toujours su gré à Auligny d'ignorer son
œuvre, et en conséquence de ne la louer pas. Ce que
Guiscart avait dit tout à l'heure de l'amour : —
« Une femme qui m'aime m'ennuie, » — il aurait
pu le dire aussi d'un grand nombre de ses admi-
rateurs. Leur admiration l'agaçait parce qu'il
savait combien il aurait pu faire mieux s'il avait
donné plus de temps, d'application et de goût à
son œuvre ; parce que, comme l'amour donné vous
crée une sorte d'obligation d'y répondre, l'admiration de quelqu'un qu'on estime vous crée une
sorte d'obligation de la mériter davantage (et quel
devoir plus amer pour un Guiscart, de qui toutes
les règles de vie tournent autour de l'absence de
contraintes?) ; mais surtout parce qu'il savait sur
quel malentendu l'admiration, comme le blâme
(qui pour lui étaient tout un) est fondée, et qu'il
n'est pas d'artiste digne de ce nom, s'il pouvait
lire exactement dans l'âme de la personne qui
l'admire, qui ne préférât être ignoré d'elle, et parfois même subir son mépris.

Tandis que Guiscart dessinait ces formes
étranges, nées de Ram, mais échappées d'elle,
le regard ému d'Auligny polarisait chez le peintre
toutes les raisons, toujours présentes, toujours
pressantes, qu'il se donnait de mésestimer son
œuvre et de lui dénier de l'importance. Il savait
que le portrait qu'il avait fait de Ram en premier
lieu, une demi-douzaine d'hommes, en France
seulement, auraient pu le faire ; mais que, ces dessins d'à présent, lui seul était capable de les créer.
Ce caractère unique de son talent, il le reconnais-
sait, la critique, le public le reconnaissaient, et

cependant, dessinant cela, il n'en avait pas de
joie. Il se disait : « Probablement est-ce de la qualité la plus haute. Probablement cela *restera*-t-il
en partie. Et, en même temps, je sais que cela
n'est pas grand'chose. » Mais, s'il se jetait ainsi à
l'abîme, sans peine non plus que sans plaisir,
c'était qu'il y engouffrait avec lui tout l'art et
toute la pensée depuis que le monde existe, toutes
les œuvres des philosophes, des poètes, des musiciens, des artistes, tout cela, notable sans doute,
et jouant son rôle dans l'humanité, mais qui en
même temps n'*était pas grand'chose.* Cela, il l'avait
dit un jour, dans une interview : « Nous sommes
tous surfaits, moi le premier. » Mais on avait cru
à une boutade, à du déplaisant *fishing.*

Une fois de plus, une fois encore, là, dessinant
ces dessins qui allaient être vendus très cher, entrer
dans des collections, finir dans des musées, ne
disons pas qu'il maudit, ce mot semblerait de ceux
dont il faut rabattre, mais il regretta ce don qu'il
avait reçu. Être né avec un talent, et n'être pas né
avec l'amour de la gloire, oui, cela, c'était une
sorte de tragédie. A quoi lui avait-il servi, ce
talent? Les femmes qu'attirent les hommes célèbres, il les rabrouait durement : les neuf dixièmes
des femmes qu'il avait eues ne l'avaient connu que
sous un faux nom. Les petits honneurs? Il avait
pensé d'abord qu'ils auraient pour lui une utilité
pratique (la seule qui l'intéressât en eux), qu'ils
faciliteraient ses aventures, mais bientôt il avait
dû reconnaître qu'ils ne lui étaient d'aucune utilité. L'argent? Il en avait à l'excès. La postérité? Il
s'en moquait. Alors, en définitive, son art, quand

il regardait en arrière, qu'est-ce que ç'avait été
dans sa vie? Eh bien ! il lui fallait répondre la
réponse éternelle : son art, c'était quelque chose
qui lui avait *pris du temps*. Pris du temps, réduit
sa part de vivre, réduit sa vie, comme l'eût fait
de la maladie, ou une occupation de bureau. « Eh !
dira-t-on, il n'a qu'à poser ses pinceaux, ce beau
monsieur, puisqu'ils l'embêtent tant ! » Bien des
fois il y avait songé. Lui qui n'avait pas d'espérance, parce qu'il n'imaginait rien qu'il ne possédât,
il s'était créé de l'espérance avec la phrase : « Quand
je ne peindrai plus... » Mais, par faiblesse, par
lâcheté, à cause du « talent enfoui », parce que « ce
serait quand même bête... », il avait continué jusqu'alors. Seulement, il *circonscrivait le mal* en ne
consacrant à son art que les heures où il ne se
sentait bon à rien d'autre.

Quand la séance de pose fut finie, Guiscart eut
un mouvement qui lui sera compté au ciel. Il
oublia tout ce qui l'avait agacé dans l'admiration
d'Auligny, et lui fit cadeau du premier portrait
de Ram (non sans en estimer à part soi la valeur
marchande). Auligny remercia avec effusion : il
n'avait cessé de préparer des phrases tout le temps
que Guiscart composait ses derniers croquis.

Le lieutenant entraîna Ram dans la courelle.
— « Il ne te déplaît pas, mon camarade? Et puis,
tu sais, il aime les Arabes, etc... etc... Tu veux
bien, n'est-ce pas? » Elle se débattait toujours un
peu : « Il faut que je rentre. Demain, » ou « Alors,
qui c'est qu'est le patron? Vous? Lui? » Enfin
elle accepta : « Juste la même chose comme avec
vous. » Auligny la ramena dans la chambre, la

confiant à Guiscart, non sans un coup d'œil
complice, donna rendez-vous à son ami pour le
déjeuner, et sortit de la maison avec cette âme
charmante, pleine d'altruisme vrai, et presque
maternel, qui fleurit en vous quand vous faites
l'entremetteur. Plus d'un homme, qui jamais
n'avait senti en soi une bouffée de sympathie
humaine, a soudain découvert quelle chose agréable c'est, que rendre heureux, en refermant la
porte de la chambre où deux êtres se rencontraient par lui.

Seul avec Ram, Guiscart lui dit de reprendre la
pose quelques instants encore. En vérité, c'était
qu'il n'était pas bien sûr de ce qu'il voulait d'elle.
Si Auligny lui avait dit : « Elle s'y refuse catégori-
quement, » il en eût été satisfait.

— Cela ne t'ennuiera pas, que je te caresse un
peu tout à l'heure?

— Quoi, « caresse »?

« Ah! pensa-t-il avec fatigue, s'il faut maintenant lui expliquer ça! »

— Kif-kif le lieutenant, voyons, tu comprends
bien...

Elle eut son lent sourire.

— Pourquoi que ça m'ennuierait?

— Ah! ça, c'est gentil...

Mais il continua de dessiner. Ou plutôt il ne
dessinait pas. Il faisait des ronds, des traits, écrivait machinalement des phrases venues on ne sait
d'où.

Tantôt, quand ils l'attendaient, il s'était efforcé
de se maintenir dans un état où le désir qu'il avait
d'elle fût équilibré par le désir qu'elle ne vînt pas,

de façon que, vînt-elle ou non, il fût également
content. A présent, le non-désir d'elle l'emportait.
Il avait fait le nécessaire pour avoir Ram. Elle
était là, consentante. L'essentiel était acquis. Les
actes? Bah! les actes, il en était sursaturé. Il
avait connu des centaines de filles aussi jolies que
Ram; il n'avait qu'à le vouloir pour en connaître
d'autres centaines. Que lui importaient quelques
« quoi, caresse » de plus ou de moins? Évidemment,
il était absurde d'être venu d'Alger pour cela.
Mais les absurdités étaient la gloire de sa vie.

Il y eut une seconde vague de réflexions, d'un
ordre différent : « Auligny, s'il n'est pas amoureux de cette fille, le sera demain. Il suffisait
de voir ses yeux quand il regardait son portrait.
Un jour, il regrettera de me l'avoir donnée. Il
m'en voudra de sa propre imprudence; à elle,
de ce consentement imploré. Faire largesse à un
tiers d'une amie, je l'ai fait, quand j'étais plus
jeune : je m'en suis toujours repenti, et ne le
ferai plus. Nos compagnons de plaisir ont toujours
des armes contre nous, dont généralement ils
finissent par se servir, fût-ce sans penser à mal,
car l'indiscrétion, étant le plus vulgaire des défauts, est par là-même le plus répandu. — Et puis,
qui dit que cette fille n'aura pas, dans mes bras,
un élan des sens qu'elle n'a pas eu avec Auligny?
Si elle se mettait à m'aimer? Il faudrait partir,
me déchirer... (C'était une des règles les plus rigou-
reuses du code d'honneur personnel à Guiscart,
que celle de ne pas tromper un ami.) Laissons donc
tout cela. Aller plus avant serait risquer, pour un
plaisir qui ne le vaut pas. »

Telles étaient les pensées claires de Guiscart. Mais il y avait au-dessous d'elles un mouvement profond de sa nature, inexprimé : celui de la *mesure pour rien*.

L'étranger imaginait le peintre *fléchant* (1) sa proie du regard, puis s'abattant sur elle comme la foudre. Rien n'était plus contraire à la réalité. La réalité était que son mouvement le plus profond était de prendre toujours un temps. Dans les folles sociétés d'après l'armistice (car c'était plus tard que Guiscart s'était mis à chasser seul), les *mesures pour rien* du chevalier avaient été célèbres. On appelait ainsi sa discrétion, son silence, son air absent, au cours des « parties » où les autres prenaient leurs avantages, tandis qu'il était toujours à jeter les femmes dans les bras des tiers, toujours à partir à l'instant pathétique, étonnant tout le monde par son manque de mordant et sa continuelle dérobade, et tel qu'il semblait destiné à ne dépasser jamais le rôle de confident. Puis, un beau matin, la femme désirée par le groupe tombait dans les bras du chevalier, enflammée de vaincre sa réserve, et Guiscart prenait à coup sûr, les faux pas ayant été faits par les autres, et parfois les risques courus par eux. Il y fallait seulement beaucoup de patience, mais Guiscart en avait à revendre, car, son corps étant toujours comblé, son désir n'habitait que son cerveau, ce qui lui permettait cette maîtrise de soi.

Ses aventures méditerranéennes plus récentes

(1) *Flechar* : en espagnol, lancer un regard comme un coup de flèche.

l'avaient forcé à modifier cette stratégie : plus
chaude, mais aussi plus fantasque, plus fière, plus
désintéressée que la Française, et en définitive
moins facile, une femme de ces pays, qui hier
au soir était une *occasion à saisir*, ce matin se
défendra au couteau. Mais ici même, le naturel
demeurant, le chevalier cédait plus qu'il n'eût
dû à cette disposition, de laisser échapper d'abord,
tel le chat laisse échapper la souris, assuré qu'il
la rattrapera ; d'où plus d'une touche *cassée*
(comme on dit en Algérie), car il ne faut jamais
jouer avec l'occasion. Le rôle de Caccavella auprès
de Guiscart était essentiellement de lui permettre
de laisser échapper d'abord, sans mal. L'objet
étant désigné par Guiscart, Caccavella engageait
la conversation, se mettait en frais, inspirait confiance, liait connaissance avec les parents, son
entregent napolitain faisant ici merveille, sondait
enfin les possibilités de la jeune personne ainsi que
le degré de nocivité de la famille. (En France,
où la famille compte si peu, il est difficile de réaliser à quel point, dans une aventure méditerranéenne, on est obligé d'être en garde contre la
famille, innombrable, solidaire, féconde en points
d'honneur extravagants, et souvent prête à tout.)
Le chevalier assistait à une partie du travail, en
comparse, terne et indifférent à souhait, avec une
politesse qui toutefois n'excluait pas tout bâille-
ment, lisant le journal, toujours prompt à prendre
congé. Enfin, quand le taureau féminin était bien
mis en place, bien *cadré* par le capeador Caccavella, Caccavella s'effaçait, et le matador Guiscart entrait en scène, avec pour épée ce qu'on

devine, et pour muleta les arguments sonnants.

Guiscart, devant Ram, n'avait qu'à prendre. Mais ce premier mouvement, de réserve, était si fort en lui, qu'il fallut qu'il donnât sa *mesure pour rien*. Comme son attitude doit sembler inexplicable, nous croyons devoir exposer (en note, à cause du profond ennui qui en naîtra pour la plupart des lecteurs) les éléments qui composaient habituellement cette *mesure pour rien*, et dont quelques-uns entrèrent en jeu dans cette rencontre (1).

Tels étaient les dessous qui fonctionnaient tandis que Guiscart, après quelques coups de crayon, disait à Ram qu'il se sentait un peu souffrant, que ce serait pour un autre jour... Instants pénibles.

---

(1) 1° Haine raisonnée du travail, que les hommes disent sacré, faisant de nécessité vertu, mais qui est le grand malheur. Désir du moindre effort, désir de voir les autres travailler à son profit. (Toujours il avait préféré n'obtenir pas quelque chose, à l'obtenir en se donnant du mal.) Expérience que l'effort ne rapporte pas plus que le moindre effort ; et, quand il le ferait, il faudrait le *déduire* du résultat, défalquer cette peine qu'il vous a causée, qui vous a usé d'une usure qui se *retrouvera* toujours. Et puis la vulgarité de l'intervention, de l'action.

2° Détachement réel. « Si ma mesure pour rien me fait perdre l'objet, eh ! après tout, que m'importe ! Tout, interchangeable. En tout cas, je ne veux pas avoir l'air de me précipiter. Je convoite, mais je marque mon indifférence en donnant à l'objet une possibilité de m'échapper. » (C'était cette même « possibilité de lui échapper » qu'il donnait à sa renommée, en ne se préoccupant pas d'elle.)

3° Prudence. Rechercher le danger, quand rien ne vous y force. Mais s'armer le plus possible contre lui.

4° Ne pas se presser. La vitesse, idéal pour nouveaux riches.

5° Le caractère quinteux de Guiscart. Le chien qui pleurait après sa pâtée, mais n'en a plus envie quand on la lui donne.

Pendant qu'elle se rhabillait, Guiscart lui tenait de bons propos (il fallait toujours être gentille avec le lieutenant, etc...), puis il la baisa sur les cheveux, à la papa. Ce faisant, comme elle était tout contre lui, il se trouva soudain dans l'état d'une divinité des bois. Mais le plaisir de ne la prendre pas, ayant fait deux mille kilomètres pour la prendre, était tellement plus délicat que l'autre !

Quand elle fut partie, les yeux de Guiscart tombèrent sur le portrait d'elle qu'il avait donné à Auligny, et il le jugea décidément une *bonne chose*. Tout le sublime bête (dans l'admiration) que ce portrait déclencherait en Auligny, se présenta de nouveau à lui, et le dégoûta au delà de toute expression. Une idée lui vint, qui l'amusa beaucoup. Ram, telle qu'il l'avait dessinée, montrait ses belles dents pures. Il prit son crayon, et, appuyant de toutes ses forces, de façon que les caractères fussent ineffaçables, même si la gomme devait les atténuer, il traça sur le front de la figure — un peu comme des tatouages — cette inscription : RAM A DENTS.

— Avec cela, cher daim, dit-il, plus moyen d'être béat dans l'admiration. En te mettant dans une colère légitime, je te sauve de ta propre bêtise. Et puis, me voici délivré de ta gratitude.

Ayant ainsi dégonflé le sublime, et gâché une œuvre de sa main — double agrément, — Guiscart sortit tout guilleret. Il fut rejoint par Auligny qui, impatient, rôdait alentour.

— Au premier regard, j'ai vu combien elle était digne d'être aimée, dit Guiscart. On lit parfois chez un journaliste ou un auteur dramatique, enfin

quelqu'un de *parisien*, que l'estime est un des
sentiments dont dispose un homme pour une
femme, quand il n'en a aucun. Eh bien ! j'ai plus
de respect pour l'estime que pour l'amour. La
confiance en quelqu'un que l'on désire est peut-être
le sentiment le plus doux au monde, ajouta-t-il,
du ton d'un homme qui a connu cette confiance,
mais qui ne l'a pas connue toujours.

— Je suis content que tu penses cela, dit Auligny, avec un élan de gratitude. Et, cela s'est bien
passé?

— Il ne s'est rien passé.

— Comment ! Elle a refusé?

— Pas du tout. C'est moi...

Guiscart était fort embarrassé pour expliquer sa
dérobade. Loin d'exhiber ses bizarreries, il les
dissimulait, n'aimait rien tant que passer inaperçu.
C'est l'homme commun qui cherche à se faire
remarquer ; un homme vraiment original le cache
autant qu'il peut. Guiscart répugnait donc à dé-
monter le mécanisme qui l'avait mené à faire un
tel voyage pour cueillir cette fleur, puis, l'ayant
sous la main, à ne la cueillir pas. Une pudeur analogue, mais de qualité plus fine encore, lui interdisait de dire à Auligny : « Je l'ai fait en partie
par délicatesse à ton égard. J'ai flairé que, si j'agis-
sais autrement, il n'en naîtrait pas de bien pour toi.»
Il eut recours à la *catharsis*, phénomène indéniable,
bien qu'exagéré par certains, et il développa
un peu ce thème vulgaire : « Les dessins que je
venais de faire d'elle m'avaient délivré d'elle. »

— C'est singulier, disait Auligny, il faut avouer
que c'est singulier...

« Il ment, pensait-il. A qui fera-t-il croire qu'il est venu d'Alger ici, que Ram s'est offerte, et que...? Et, pour soutenir son mensonge, il faut qu'il lui ait enjoint à elle aussi de mentir, à elle qui ne m'a jamais menti. Les voici tous deux complices contre moi, et c'est moi qui ai fait cela ! »

Guiscart vit clair en Auligny, et jugea qu'on ne pouvait plus échapper aux grands mots. Il s'arrêta, le prit par le bras.

— Écoute, Auligny, je te jure que je n'ai pas touché à cette petite. » Et il résuma rapidement les raisons de sa réserve, lui demandant d'excuser les artistes, toujours un peu dingos, etc...

— Je vois qu'elle ne t'a pas plu, » dit Auligny. Il croyait maintenant Guiscart quand Guiscart niait le fait, mais il ne croyait pas à ses absurdes raisons.

Le chevalier dit tout ce qu'il pensait de la beauté et de la gentillesse de Ram. Mais il était trop tard. « Pardi, songeait Auligny, il la trouve laide ; comment ne m'en suis-je pas douté dès son couplet sur l'estime? »

Guiscart parlait toujours, et Auligny, incapable de dissimuler sur son visage sa contrariété, s'enfonçait dans le dépit. Qu'il regrettait ses lettres, d'avoir été expansif, d'avoir combiné toute cette aventure ! « Il se moque de moi et me méprise. Il se dit : « Avoir fait deux mille kilomètres pour « cela ! » Je lui fais l'effet d'un pauvre type, emballé sur la première grue arabe qu'il rencontre. C'est certain, Ram n'a pas le visage expressif, elle manque de vivacité... Il a eu des centaines de femmes plus belles ! » Qu'il eût voulu connaître

une de ces femmes pour pouvoir dire à Guiscart :
« Tu aimes ça? Enfin, chacun son goût... Elle a
les cheveux poisseux, on n'a pas l'impression
qu'elle soit très propre... » Qu'il eût voulu prendre
sa revanche !

« Eh bien ! se disait-il, admettons même qu'elle
lui ait plu, et qu'il l'ait refusée par singularité.
Qu'ai-je de commun avec un fou? » Il éprouvait
cette exaspération, parfois voisine de la haine,
que nous inspire un être qui ne sent pas ou n'agit
pas de la même façon que nous. Notre certitude
que nous sommes les seuls à avoir raison est si
grande, qu'on voit des gens, au restaurant, pris
d'une véritable colère, parce qu'un des dîneurs
coupe d'eau son vin, alors qu'eux ils ne coupent
pas le leur.

« Mais non, continuait Auligny, je ne peux pas le
croire. Qui dit qu'il n'a pas rendu vains ce voyage,
cette dépense, uniquement pour m'éblouir? Qui
dit (son visage s'assombrit encore) qu'il n'a pas
fait tout cela dans le seul but de m'humilier?
M. *de* Guiscart... un homme célèbre... voyageant
en pacha... Un saligaud, oui. De toutes façons son
acte est odieux. Il aura dépensé dans ce voyage
trois mille francs peut-être. (Auligny imaginait
que Guiscart n'avait pu voyager qu'en première,
en couchette, etc..., alors que Guiscart avait voyagé
en seconde, et dormi dans son wagon, par indifférence au confort ; pour tout ce qui ne regardait
pas la volupté, le peintre était un ascète ; ayant
tout, il lui était facile de se contenter de peu.)
Songer qu'avec ces trois mille francs on aurait
pu soulager des misères, venir en aide à des veuves

d'officiers pauvres ! » S'étant étayé, par ce mouvement tournant, sur les choses saintes, sur tout le sublime, Auligny ne fut plus un petit amant dépité. Il se sentit grand comme une montagne, devant un Guiscart tout petit, tout petit malgré, ou plutôt à cause de ses splendeurs terrestres. Il se sentit le Bien en face du Mal, ou peu s'en faut.

Guiscart voyait les mouvements qui se faisaient dans l'âme d'Auligny, aussi clairement qu'un préparateur voit les corps chimiques réagir l'un sur l'autre dans l'éprouvette. « Encore un ennemi que je me suis fait. Dieu sait pourtant que ce n'était pas dans mes intentions ! Heureusement que je m'en contrefous. » Si on avait voulu faire une figure allégorique de M. de Guiscart, on aurait pu le représenter, d'une main énergique prenant possession de quelque bien de ce monde, et l'autre, grande ouverte, laissant échapper ce bien. De même qu'il était accouru vers Ram d'un fol élan, puis, l'ayant, l'avait dédaignée, de même sa sympathie pour Auligny ne tenait pas, devant son indifférence à ce que ce garçon tombât de sa vie. Son âme était comme les bateaux de Carrier : il y avait une trappe au fond, et les êtres se trouvaient tout d'un coup engloutis, sans laisser plus de trace dans sa sensibilité qu'un noyé n'en laisse sur l'eau. Qu'Auligny eût pour lui de l'amitié, ou non, cela lui était égal. Qu'Auligny se fît une idée fausse de lui, à son détriment, cela lui était égal. « Car enfin je n'aurais qu'à lui dire, les yeux dans les yeux : « Les raisons que je t'ai données sont vraies. Mais il y en a une autre. Je n'ai pas pris Ram parce qu'un jour cela se

serait retourné contre toi — qui l'aimes, ou vas
l'aimer, — contre toi, que je n'ai pas vu depuis
dix ans, et de qui je n'ai jamais été l'ami, » et,
tel que je le connais, l'émotion affluerait à son
visage, il me demanderait pardon, en un instant
je me l'attacherais pour la vie. Mais qu'est-ce que
j'en ferais, quand il me serait attaché? Les gens
qui me sont dévoués m'ennuient : ils me créent
des obligations envers eux. Et en quoi cela gêne-t-il
quoi que ce soit dans ma vie, qu'Auligny me prenne
pour un *sale type*, alors que dans une certaine
mesure — mais enfin une mesure certaine — je me
suis sacrifié à cause de lui? » Et, au fond de lui-
même, bien qu'il vomît le christianisme, Guiscart retrouvait peut-être ce goût sournois du sacrifice qui avait enchanté ses aïeux chrétiens, et ce
subtil agrément de paraître moins ou pire que ce
qu'on est, qui amène parfois un sourire énigmatique
sur les lèvres des personnes de condition.

« Ne parlons plus de cela, » dit Auligny, quand
ils se mirent à table. Ils furent très hommes du
monde, et débagoulèrent à merveille choses et
autres. Mais le lieutenant n'y put tenir et se laissa
aller, au café, à la sortie la plus aigre contre ceux
« qui ne savent rien de la vie, parce qu'ils n'ont
jamais su ce que c'est que gagner son pain »
(Auligny savait-il ce que c'était que gagner le
sien?), sur « les égoïstes qui se refusent à toute
charge, se dérobent à la paternité » (Guiscart avait
à sa charge deux enfants, quatre femmes, et servait des pensions à trois femmes ou familles).
Durant cinq minutes, le fiel coula de cet homme,
petit par les vues, mais grand par le cœur, droit,

sensible, généreux, et qui, de même que Guiscart,
mais en s'engageant autrement à fond que lui,
n'eût pu voir une possibilité de sacrifice sans la
réclamer pour soi comme un honneur. Mais, noble
ou vil, tout homme est le même quand il est
humilié, ou se croit tel : il devient capable de
tout.

On n'humiliait pas facilement Guiscart : il se
sentait hors de portée. Le chevalier lisait toujours
dans l'âme d'Auligny. Il trouvait que les sentiments d'Auligny étaient parfaitement *dans l'ordre*,
et il distinguait aussi, pour avoir bien connu cette
amertume, de quelle ferveur déçue était fait tout
cela. « Punir quelqu'un de s'être emballé sur lui
n'est sans doute pas un mouvement très équitable,
mais on le trouve chez tant de gens parfaits à
tous égards qu'on peut dire qu'il est entré dans
les usages, comme l'est, au sein de *nos familles*,
l'acte de ramener en fraude des cigares de Bel-
gique, ou celui de passer des pièces fausses aux
quêtes de mariage, » pensait le chevalier, qui pensait ainsi en connaissance de cause, ayant puni
lui aussi pas mal de gens, des engouements qu'il
avait eus d'eux. C'est là l'avantage d'avoir affaire
à des hommes qui, d'une part, ont un grand registre
humain, ont expérimenté à peu près tous les sentiments, et jusqu'à ceux qui selon la logique sont
le plus opposés à leur nature, et qui, d'autre part,
ont une lucidité et une agilité assez vives pour faire
réapparaître en eux ces sentiments lorsqu'ils les
rencontrent d'aventure chez les autres. Ces per-
sonnes-là excusent toujours, si elles ne vont pas
toujours jusqu'à pardonner, car il y a « donner »

dans « pardonner », et on ne se donne pas comme cela.

Quand Guiscart, à la fin du repas, dit son désir de prendre le convoi qui, l'après-midi, repassait par Birbatine, sur son trajet de retour à L..., désir qu'il enguirlanda de toutes les honnêtetés possibles, Auligny ne le retint pas. Et même, prétextant une affaire de service, il sortit. « Il n'est pas imposant, » se disait-il, voyant que Guiscart avait des chaussettes de laine par trente degrés.

« C'est entendu, pensait-il encore, je suis *moyen*. Saurait-il l'être? » Quelqu'un qu'on croit qui vous dédaigne, parvenir à lui faire croire qu'on le dédaigne ; quelqu'un qu'on envie, parvenir à lui faire croire qu'on le plaint ; mettre enfin son orgueil dans son infirmité, c'est le mouvement de la plupart des hommes. Le talent de Guiscart, son indépendance, son bonheur, sa fortune, et jusqu'à sa naissance, tout cela se jetait amèrement en Auligny, mais ne s'y jetait que pour y être moqué, foulé aux pieds, et pour qu'Auligny, monté sur ces débris, s'écriât : « Il a tout cela. Eh bien ! moralement, et même en réussite, ma vie est supérieure à la sienne. » Ces sentiments étaient si vifs que, lorsque la politesse le força de revenir tenir compagnie à Guiscart, une heure avant le passage du convoi, Guiscart les perçut au seul ton d'une réponse du lieutenant. « Tu es toujours catholique? », lui avait-il demandé. « Oui, catholique, catholique croyant et pratiquant, » répondit Auligny avec défi, scandant les mots, le regardant dans les yeux.

Le catholicisme *croyant et pratiquant* d'Auligny

était celui de 90 pour 100 des catholiques *croyants et pratiquants :* il consistait à faire ses Pâques, à aller à la messe de 11 heures le dimanche, quand cela ne dérangeait pas sa journée, et à passer par l'église pour la naissance, le mariage et la mort ; moyennant cela, les vertus d'Auligny, souvent si chrétiennes, n'étaient jamais en fonction du christianisme, sa piété était nulle, et, pour tout dire en un mot, Jésus-Christ était inexistant dans sa vie. Mais en cet instant, proclamant sa qualité de catholique avec une sorte de fanatisme momentané, qui ne correspondait en lui à rien de réel, il voulait dire : « Tu crois que je suis simplement un médiocre. Eh bien ! moi aussi j'ai ma règle de vie dont je suis fier, comme toi tu es fier de ton épicurisme, de ton bohémianisme, etc... Moi aussi j'ai mes certitudes qui me rendent fort et heureux. » Et en vérité, dans cette minute, Auligny était de bonne foi : il croyait que le catholicisme était quelque chose qui lui tenait à cœur. Que ne trouverait-on pas sous ces proclamations de foi religieuse, faites d'une voix vibrante, avec un joli mouvement de menton, par des êtres d'ordinaire assez jeunes ! Pour le savoir il faut y avoir passé soi-même, et en être sorti. Combien de pauvres adolescents se sont promenés à la face des Gentils, le cierge à la main, dans une procession du Saint-Sacrement, sans piété, sans foi sérieuse, sans amour même de l'Église, mais seulement parce qu'il était *chic* de vaincre son respect humain, et délicieux à la vanité de ces faux humbles de se dire : « J'ai ce courage, dût-on me traiter de niais. » Charmant courage, si l'on veut, mais qui ne les empêchait pas d'être, en effet, des niais.

On en a presque honte pour nos deux messieurs de Birbatine : si bien partis, ils furent quasiment au bord de s'empoigner sur l'existence de Dieu. Les « preuves » de l'existence de Dieu, qui sont une des opérations les plus singulières qu'ait jamais produites l'esprit humain, étant bien au-delà de leur registre, ils eussent sombré dans une stupidité sans nom, si Guiscart, se ressaisissant et songeant que c'était bien son tour d'être un peu impoli (à quoi il s'entendait fort bien, quand le goût lui en venait), n'avait ouvert une revue et ne s'était mis à lire, non sans bâillements, dont il ne s'excusa même pas sur son estomac.

L'arrivée du convoi les sauva. Chacun d'eux, dans cinq minutes, serait débarrassé de l'autre : cela leur permettait de se supporter. C'était merveille de les entendre faire des vœux pour que le hasard bientôt les réunît à nouveau. L'auto où l'on avait fait place à Guiscart renâclant à être mise en marche, il leur fallut trouver dans les profondeurs de leur belle éducation un impromptu de ressources ; ils faisaient songer à un tailleur luttant de courtoisie avec son noble client : « Vous vous souvenez, n'est-ce pas? que j'ai la cuisse un peu creuse. Mais un homme comme vous, monsieur Amédée, remédier à cela, c'est là qu'il triomphe. » — « Que dit monsieur le baron, qu'il a la cuisse creuse ! Monsieur le baron, au contraire, a la jambe faite au moule ! » Seulement, la poignée de main de Guiscart fut une petite catastrophe qui trahit tout. Il tendit deux doigts, sans y penser. Il est

vrai que si on lui eût dit : « Deux sur cinq : est-ce
la proportion de ce que vous donnez à *votre ami ?* »,
il eût sursauté : « Comment ! Deux sur cinq ! », et
il n'eût plus tendu que l'ongle du petit doigt.

Il faut pardonner beaucoup à Tibère, pour un
mot sage et courageux qu'il prononça. Sollicité
par le Sénat de jurer, selon une formule qui était
la coutume, « sur ses actes à venir, » il s'y refusa,
disant qu'il ne savait pas ce que seraient ses actes,
et l'avenir ne montra que trop qu'il avait vu juste,
les actes de sa vieillesse étant comme incompa-
tibles avec ceux de sa jeunesse et de son âge mûr.
Chacun de nous est un monstre d'incohérence, et
le mal serait diminué si, comme Tibère, nous nous
refusions à engager nos actions et nos sentiments
futurs. Mais non, nous nions notre incohérence,
nous nous fâchons si on met en doute notre unité.
A peine l'auto qui emportait Guiscart commença-
t-elle de s'éloigner, Auligny sentit que Guiscart
allait lui manquer durement. Entre ces deux maux,
un Guiscart hostile, et cette solitude, le second lui
parut le pire.

Guiscart, lui, dans l'auto, se prétendait enchanté. « Jamais je ne m'amuserai à aller chercher
un cœur humain, pour voir ce qu'il y a dedans.
Mais quand l'occasion s'en présente, cela m'inté-
resse, et ce bougre m'a fait voir dans un cœur
humain. Et puis, venir pour cette belle petite, et
ne pas la prendre, et me sacrifier pour un daim
dont je me fiche comme de colin-tampon, tout
cela est bien dans mon style de vie. » Or, lui aussi,
comme Auligny, tourna du tout. A L... il se
disait : « Quand même, qui on arrive à fréquenter,

par lâcheté, par désœuvrement ! C'est une des condamnations du voyage. Et cela vous retombe toujours sur le nez, d'avoir fréquenté un imbécile, sous quelque prétexte qu'on l'ait fait. Il n'y a qu'*une* sorte de « liaison dangereuse » : celle avec un imbécile. »

C'était, sous une forme tranchante, exprimer cette vérité, qu'il n'y a pas intérêt à ce que des êtres d'espèces différentes se rencontrent autrement que sur le plan le plus superficiel ; et Auligny et Guiscart étaient sans contredit d'espèces différentes. Guiscart se sentait honteux de lui-même, comme un homme qui a levé une grue à la nuit tombée, l'a caressée jusqu'au matin dans le noir, et à l'aube découvre qu'elle est affreuse. Comme cet homme, il se trouvait diminué. Il avait la sensation qu'on lui avait pris quelque chose.

Quelques heures après le départ de Guiscart, Birbatine reçut un message de L... Ce matin, à 10 heures, un convoi civil se dirigeant de Sidi-Aziz sur Bou Aioud avait été enlevé en partie par un djich de trente fusils, à quinze kilomètres de Sidi-Aziz. Le djich avait pris la direction de l'Est. Trente Sahariens sur camions avaient déjà quitté Sidi-Aziz pour tenter de lui couper la route. Ordre à Auligny de partir demain à l'aube, avec trente mokhaznis et huit jours de vivres, et d'occuper les points d'eau d'Iguiz, où les avions le tiendraient au courant.

Guiscart, Ram, en une seconde tout est balayé. Le casse-pipe ! Une citation ! Qui sait, la croix peut-être !

VII

Les mokhaznis galopaient, suivis par leur poussière. De djich, aucune trace. Non pas un ciel ceinture d'Immaculée-Conception, tel qu'on se représente souvent le ciel du désert, mais un ciel voilé, laiteux, opaque, comme de verre dépoli. Une chaleur puissante, sans être accablante. Le bled, vert jaune et noir, ici parsemé de plantes toutes pareilles à de la rocaille verdie par la mousse, là, de pierres plates, noires et bleuâtres comme le bitume, et qui de loin, tant elles luisaient, semblaient des flaques d'eau : on eût dit un terrain après un orage violent. A l'Orient, des montagnes fuyantes, convulsives, léonines, dont les teintes, en se dégradant, disaient les plans successifs. Les mokhaznis corsetés de buffleteries étincelantes, sous leurs turbans délicatement teintés de vert très pâle. Les petits chevaux excités par l'espace, fiers de leurs queues, aux croupes de lumière. Et, en avant, Auligny, plein d'une excitation un peu facile, mais bien sympathique, Auligny tout dénué d'orgueil personnel, mais qui retrouve l'orgueil par celui de l'uniforme, — formule qu'on pourrait appliquer à la plupart des officiers.

Du moins, ç'avaient été là ses sentiments pendant la première partie de la journée. Plus tard, un peu de déception était venue. Pas de djich, et Otero (Poillet était resté à Birbatine, pour commander le poste) disait que, en cinq ou six reconnaissances, jamais il n'en avait accroché un.

Maintenant on bivouaquait pour la nuit. On s'était installé au sommet d'un promontoire qui, de loin, tout à l'heure, donnait l'illusion d'un hangar de dirigeable érigé dans l'étendue plate. Par devant il se dressait à pic ; par derrière il mourait en pente assez raide. Par devant, le bled à perte de vue. Par derrière, quatre tentes plates de nomades. Et dans tout ce camp de nomades, il n'y avait de mouvement que celui de la queue d'un chien jaune, qu'on voyait remuer, à quelque trois cents mètres.

Auligny se fit amener quelques-uns des nomades, desquels il ne put tirer rien d'intéressant. Puis, ayant dîné, et allumé une cigarette. il descendit le long du contrefort. Son but était d'aller voir le coucher de soleil, et pour cela de contourner un piton rocheux qui masquait l'Occident. Depuis sept semaines qu'il était dans le Sud, jamais l'idée ne lui était venue de regarder le coucher du soleil, autrement que d'un regard distrait, et lorsqu'il le trouvait sous ses yeux. Mais, ici, il était dans l'état d'esprit d'un Parisien qui ne verra même pas le ciel, s'il s'agit du ciel de Paris, et s'extasiera à son endroit, s'il passe une journée à la campagne.

C'était aussi sa première nuit sur la dure, en plein désert, et il voulait écrire là-dessus à Mme Auligny une lettre littéraire, avec *descriptions* à la clef. En effet, l'imagination saharienne (mirages,

couchers de soleil, oasis enchantées, réminiscences
bibliques, etc...) n'est pas seulement le lyrisme
des gens qui ne sont pas poètes. Elle a une arrière-
pensée patriotique qui au début avait échappé
à Auligny. L'imagination saharienne (ou maro-
caine) peut-être synthétisée tout entière dans la
comparaison que fit le général Drude, à ses troupes
se rembarquant. En bas, leur dit-il, à peu près,
vous voyez la mer bleue ; au-dessus, Casablanca
la blanche ; et au-dessus encore le ciel rouge du
couchant : c'est l'image de notre drapeau que vous
avez déployé sur le Maroc. Depuis lors, toute description du Maroc ou du Sahara en revient toujours à figurer peu ou prou, comme dans l'allo-
cution du brave général, le drapeau tricolore.
L'imagination saharienne travaille à augmenter
la valeur morale de la terre que nous conquérons,
et à faire passer ainsi plus aisément les sacrifices
de tout genre que nous coûte cette conquête.
L'imagination saharienne joue de la sorte sa partie
dans une politique, et c'est de cela qu'Auligny
avait fini par prendre conscience. Hier, par
exemple, quand Guiscart avait dit que, dans les
oasis, les aiguades sont pleines de reptiles, Auligny
avait jugé qu'il parlait en mauvais Français.
« C'est ça qui donne envie d'y aller ! » avait-il
grommelé, et cette réaction, qui est d'abord celle
d'un directeur d'agence de tourisme, est aussi celle
du patriote : dire qu'il y a des reptiles dans les
oasis du Sahara français, c'est à la fois diminuer
l'excellence de nos possessions, et, en dégoûtant
peut-être quelque touriste possible, faire du tort
à l'industrie nationale, dont le tourisme saharien

est une branche. Et le délit est bien plus grave, on le devine, si vous dites cela devant un Anglais ou un Américain : cela devient proprement une trahison.

Aussi Auligny voulait-il faire du Sahara une description qu'il fût impossible de lire sans prononcer le mot : « Ravissant. » Autant, en effet, ses premières lettres avaient été naturelles et spontanées, autant, depuis « Racine et le désert », dont le retentissement lui était revenu, il y mettait un certain apprêt. Son désir, c'était qu'elle *fissent du bien*, et il y créait de toutes pièces, en plein sublime, une image extraordinairement fausse de l'officier du Maroc, destinée à faire une sorte de propagande en faveur de l'armée parmi les relations des Auligny. Pouvait-il ignorer en outre que, s'il était tué, ses lettres seraient publiées dans le Bulletin des Anciens Élèves de la rue des Postes? Que même, sans doute, sa mère les réunirait en plaquette? Et s'il souhaitait sincèrement le succès de son apostolat, encore n'oubliait-il pas qu'il en tirerait profit pour sa réputation. Servir, c'est aussi se servir.

Il faut tout dire : les lettres d'Auligny *en remettaient* un peu. Si la vie, à Birbatine, avait été héroïque, ou seulement difficile, il eût à dessein, dans sa correspondance, atténué la réalité, par délicatesse. Les circonstances étant plates, il la grossissait. « Me voici seul, perdu dans le désert... Le ravitaillement n'est pas toujours très régulier... Des djouch sont sans cesse signalés aux environs... » Tout cela n'était pas absolument faux, mais enfin n'était pas tout à fait exact. Il allait

jusqu'à la cruauté inconsciente des enfants :
« C'est ici qu'a été assassiné il y a quatre ans,
par les dissidents, le lieutenant Pluvier » (cela
était exact). La pensée que sa mère tremblait
pour lui caressait en retrait ce garçon si honnête.
Et en effet Mme Auligny tremblait, s'enflammait,
et en remettait à son tour. « Lucien est isolé de
tout ravitaillement, au cœur du désert, environné
par les djouch... Et, au milieu de tout cela, toujours gai comme un pinson ! » Les lettres d'Auligny n'avaient rien de particulièrement gai, mais
il était entendu une fois pour toutes, dans l'esprit
de la bonne mère, que Lucien était toujours gai ;
de même, bébé, il était entendu qu'il « ne pleurait
jamais », bien que, comme tous les bébés européens, il beuglât pour se rendre intéressant ; de
même, enfant, bien que souvent indisposé, il
« n'était jamais malade ». Et récemment encore,
bien qu'il eût écrit que, en passant la barre de
Casablanca, « tout le monde avait payé son tribut
au mal de mer, » Mme Auligny avait publié que
« seul, avec le capitaine, il n'avait pas eu le mal
de mer ». Mme Auligny eût arraché les yeux à qui
lui eût dit qu'elle mentait. Elle mentait de bonne
foi.

A 6 heures il faisait plus chaud qu'à 5, le ciel,
demeuré voilé tout le jour, s'étant dévoilé vers
5 heures et demie ; et ce soleil, qui ne naissait que
pour mourir, densifiait cependant la chaleur. Le
camp des nomades s'animait avec le soir. Un enfant
porteur de feu circulait d'une tente à l'autre. Une
petite fille habillée de grenat s'éloignait du cam-
pement. De grands feux de palmes rougeoyaient,

et des fumées bleues s'en élevaient, minces et
hautes, comme des fils jetés entre la terre et le
ciel. Le lieutenant, ayant contourné le piton de
rochers, perdit de vue les tentes, et s'assit sur une
des pierres bleuâtres, parmi les peaux de vipères,
tombées à la mue et desséchées, qui couvraient
les pierres, semblables à des lambeaux de gaze
délicate ; mais Auligny, déjà « vieux Saharien »,
se sentait en disposition de dompter les vipères,
comme le Parisien à la campagne dompte le vertige, la marée, l'insolation, se baigne après déjeuner, etc... Et il s'absorba dans le coucher du
soleil, dont il distingua tout de suite qu'il était
bleu et rose : une bande bleue en dessous, puis,
sans transition, une bande rose au-dessus, puis le
grand bleu éteint du ciel. Après quelque temps,
il distingua aussi que ces deux teintes étaient,
exactement, des teintes de pastel. Là-dessus, sentant qu'il tenait sa *description*, il allait se lever,
quand son attention fut arrêtée par une bergeronnette qui se promenait autour de lui.

Se promenait est le mot : pas une fois il ne la
vit voler. Elle sautillait d'une pierre à l'autre,
parfois faisant une pause sur l'une d'elles, à quatre
mètres environ du lieutenant. Cet oiseau toujours
à terre, comme s'il ne savait pas voler, son manège
de se rapprocher du lieutenant, et de rester près
de lui, comme s'il avait quelque chose à lui dire,
qu'il n'osait pas dire, touchaient Auligny (et
l'eussent touché bien davantage, s'il avait lu les
poètes arabes, pour qui les oiseaux sont toujours
des confidents ou des messagers). Tout à coup il
entendit marcher derrière lui, se dressa d'un bond,

la main vers le revolver, et se trouva devant la
petite fille en grenat.

Elle paraissait douze à treize ans, et elle était
laide : noirâtre, luisante, lippue, tatouée. Elle
écarquilla les yeux, hocha la tête, avec une mimique
tout européenne destinée à exprimer la frayeur,
et elle dit en français :

— Toi pas peur ! (Elle étendit sa petite main
sèche vers le sud.) Là-bas, plein des Moros. S'ils
te prennent (elle se passa le tranchant de la main
sur la gorge), ils te coupent la tête.

— Ou plutôt c'est moi qui la leur coupe !

Après cette fière réplique, Auligny s'abandonna
à l'étonnement d'entendre une petite Bédouine
parler si bien le français. Et la façon qu'avait
cette enfant barbare de le mettre en garde contre
l'ennemi, de prendre en quelque sorte parti pour
lui, contre les siens, lui parut gentille. Dans son
esprit, il la rapprocha de la bergeronnette : toutes
deux si familières.

— Comment sais-tu si bien le français?

— Toujours, j'ai été à L..., toujours, avec ma
mère. Et toi, qu'est-ce que tu fais ici?

Quelle effronterie ! Elle s'était rapprochée d'Auligny, l'empestant d'un de ces violents parfums
dont s'enduisent les femmes bédouines. Comme il
s'était rassis sur sa pierre, elle se trouvait entre
ses jambes, contre lui, tripotant ses écussons, en
prononçant le chiffre, peut-être pour montrer
qu'elle savait aussi lire. Auligny était très gêné
en pensant que quelqu'un pouvait apparaître. Et
en même temps, cette souillon de douze ans, laide,
sale, déguenillée, dont il sentait le corps chaud

entre ses cuisses, cela lui était bon. D'une voix
troublée, il lui disait n'importe quoi, pour motiver
qu'elle restât là.

— Quel âge as-tu?

— Comme toi.

— Mais non, voyons! Alors, tu ne sais pas ton
âge?

— Ma mère le sait.

— Tu as des frères, des sœurs?

Elle prit la main de l'officier, l'installa bien
dans la sienne, et referma un de ses doigts dans
la paume. — « Il y a un petit frère. » — Un autre
doigt. — « Il y a une petite sœur, » et ainsi des
cinq doigts. Puis elle lui passa la main sur le
menton : « C'est bien, dit-elle, d'un air entendu.
Les Arabes, beaucoup de la barbe : pas bien. »
« Va-t'en, » lui dit-il, se levant, cherchant de la
menue monnaie.

Elle le prit à bras-le-corps, collée contre lui,
se tenant des mains, par derrière, aux basques
de sa tunique, et levant son visage vers le
sien.

— Tu sais, moi, je suis permise. J'avais ma
carte, à L… Permise avec les civils et les officiers.
Pas avec les soldats ni avec les Arabes. Allez, viens
faire coucouche. Tiens, juste à côté, il y a un trou
dans le rocher. Et tu sais, je suis saine.

Ce langage de maison close, dans la bouche d'une
fillette, et d'une fillette de nomades, au cœur du
désert, c'était presque effrayant. Ah! ils ne le
trompaient pas, ceux qui lui disaient que les
gamines du bled étaient souvent plus intelligentes
que celles des villes! L'esprit d'Auligny repoussait

de toutes ses forces cette petite ordure, et en même
temps, *parce* qu'elle lui paraissait un monstre,
parce qu'elle était laide, *parce* qu'elle sentait fort,
parce qu'elle avait un misérable corps de grenouille,
que la puberté n'effleurait pas encore, Auligny,
homme normal, de la sexualité la plus claire, sentait en lui un désir tel qu'il n'en avait pas senti,
même le jour où, à genoux, il embrassait les
jambes de Ram venant chez lui pour la première
fois. Il marcha vers le creux dans le rocher, que
léchaient des plantes féroces, aiguës comme les
flammes de l'alcool. Il l'avait à peine touchée que
déjà elle faisait « rha... rha... », une comédie de
basse putain, si visible et si vulgaire qu'il lui cria :
« Mais tais-toi donc ! » Il la posséda, non pas rapidement, en homme qui avale une potion amère,
mais lentement, longuement, avec une jouissance
très forte, lui cachant le visage de sa main gauche,
pour ne pas voir sa laideur. Il avait beau savoir
qu'on pouvait les surprendre, il n'en allait pas
plus vite, comme le chacal a beau flairer l'homme,
quand l'homme lui amène en appât un chevreau,
il vient, tant le chevreau lui fait envie. Seulement,
à peine se fut-il délivré, il l'eut en horreur. Il lui
aurait craché dessus ; relevé, il lui aurait mis le
pied dessus, comme sur un reptile. Il lui donna un
billet de cinq francs. « Allez, fous le camp, maintenant ! »

Elle inclina la tête de côté et le regarda, avec
tristesse, et comme si elle le jugeait.

— Tu as joui, et maintenant tu me dis : « Fous
le camp ! »

— Tiens, dit Auligny, lui donnant un autre

billet de cinq francs. Mais fous le camp tout de
suite, tu entends !

Sa terreur que quelqu'un des tentes, ou bien
l'un des mokhaznis, n'apparût à l'improviste — le
bivouac était si proche qu'il entendait les chantonnements des hommes, rythmés de coups donnés
sur un fond de gamelle, — était telle maintenant
qu'elle le rendait comme fou. Il lui planta les
yeux — ses yeux égarés — dans les yeux, la me-
naça du doigt avec violence.

— Et si tu as le malheur de dire un mot à quiconque, tu entends, je fais foutre le feu à vos
tentes.

Puis il étendit le bras, d'un geste sans réplique,
dans la direction du camp des nomades :

— Par là-bas, tout de suite !...

Il dit, fit volte-face, et d'un pas rapide marcha
vers le bivouac. Il n'avait pas fait cinquante
mètres qu'il entendait un claquement de trousse-
quins, puis deux cavaliers se profilèrent sur le
ciel déjà presque nocturne : son ordonnance et
un autre mokhazni, qu'Otero, un peu inquiet,
envoyait à sa rencontre.

Il revint avec eux. Lorsqu'ils furent aux abords
du bivouac, alors seulement une sorte de sens
l'avertit que, marchant au pas, derrière et entre
ces deux indigènes à cheval, il présentait aux yeux
des hommes l'image d'un officier français fait
prisonnier par des Marocains, les poignets atta-
chés à leurs étriers, et il leur donna l'ordre d'aller
en avant. Mais son âme était bien celle d'un prisonnier : pleine de honte et de défaite.

Roulé dans son burnous, incapable de dormir,

cette sensation qu'il pouvait tout, impunément, parce que Français et parce qu'officier, cette sensation, qui en avait débridé tant d'autres, lui faisait horreur. « Je la traitais de monstre. Et moi donc, que suis-je? J'ai b... une petite malheureuse de douze ans, et rien ne peut empêcher que je n'en aie eu du plaisir. Et, ce plaisir pris, je l'ai menacée de faire mettre le feu à son foyer. Pour la première fois depuis que je suis au Maroc, j'ai fait la grosse voix, j'ai montré les dents. Et contre qui? Contre un enfant, et contre un enfant de qui je venais de tirer une jouissance infâme. Et pourquoi? D'abord parce que j'étais dans mon tort ; ensuite parce que j'avais peur. Et je suis un chef, et j'ai été élevé dans un milieu, dans des idées, parmi des êtres qui sont moralement ce qu'il y a de mieux. Que sera-ce alors des autres ! Comment pourrai-je maintenant accuser qui que ce soit? Si Otero avait fait ce que j'ai fait, et si je l'avais su, je l'aurais jugé pour la vie : une brute. Et cette brute, c'est moi. Et cependant je ne suis ni mauvais, ni bas. »

Il revoyait toujours son regard, quand elle penchait la tête de côté. — « Tu as joui, et maintenant tu me dis : Fous le camp ! », — et ce regard ressemblait au regard que lui avait jeté, il y avait des années de cela, dans un château de Bretagne, une fière jeune fille peu heureuse, lorsqu'il lui avait dit qu'il ne l'épouserait pas, qu'il n'y avait jamais songé. Une jeune châtelaine, et une petite roulure bédouine, et, à travers un tel monde de différences et d'incommensurable, ce même, ce *même* regard qui le jugeait...

Le lendemain, peu après l'aube, sous une lune encore visible, transparente, nacrée comme une « semelle du pape », Auligny, pour se dégourdir les jambes, était descendu à pied vers le point d'eau, le long de la file indienne des chevaux que les mokhaznis menaient s'abreuver. Auprès du point d'eau, les chevaux attendaient leur tour, blancs pour la plupart, rayés de sang séché dans le rayon des étriers, rose-carmin sur le dos, où la selle avait déteint, d'un noir bleuâtre et lustré aux genoux. Pour une attente d'une minute ou deux, la plupart des hommes s'accroupissaient sur les talons. — Combien cette race aime n'être pas debout ! On voit des indigènes qui piochent leur jardinet, et ils piochent *assis;* des coiffeurs arabes qui coupent les cheveux à un client, et ce faisant ils sont *assis;* des chiens arabes qui aboient à se décrocher la gueule, et ils aboient *assis;* à l'appel du matin, les jours de Sécurité, il y avait des mokhaznis qui, pour répondre « présent », restaient *assis.* — Soudain Auligny vit la petite en grenat, auprès du puits. Il chercha dans son portefeuille un billet de vingt francs à lui glisser, mais n'y trouva que des billets de cent francs. Elle l'aperçut ; il la rejoignit avec naturel, comme eût pu le faire tout officier s'amusant à faire babiller une petite indigène pas sauvage, mais ce naturel exigeait de lui beaucoup de contrainte. Et il lui dit en souriant :

— Alors, tu vois bien que je n'ai pas mis le feu à tes tentes ? Tu avais bien compris que je plaisantais, hein ?

— Pourquoi que tu m'as dit : « Fous le camp » ?

Quand tu m'as renvoyée, j'ai pleuré pendant une demi-heure.

— Diable ! fit-il, riant franchement de ce tour *classique* qu'avait toujours sa petite comédie de courtisane. Elle devait répéter comme un perroquet toutes les phrases qu'elle avait entendues dans la tanière sacrée de sa maman, sans nul doute prostituée à L...

Soudain il vit qu'elle pleurait. Les larmes coulaient sur ses joues (inaperçues des mokhaznis, auxquels elle tournait le dos). Pas un instant Auligny ne pensa que ce fussent des larmes de chagrin. De même que la veille, quand elle avait commencé à parler, il fut abasourdi, et rien de plus, abasourdi comme devant un petit monstre de précocité perverse et de roublardise. Car enfin, ces larmes, il les voyait ! Elle avait donc un truc pour se faire venir des larmes à volonté, comme les actrices ? Il y avait là quelque chose d'infernal.

— Rapproche-toi du bivouac, lui dit-il, je vais te donner vingt francs. Mais je ne les ai pas sur moi et il faut que je les demande.

Toujours avec une aisance affectée, il remonta vers le bivouac. A ce moment, des ronflements d'avion lui firent lever la tête. L'avion de signalisation !

On déploya les panneaux. L'avion disait de continuer dans la même direction jusqu'à la nuit, et, si on ne trouvait nulle trace, de reprendre le lendemain, à la première heure, le chemin du retour.

Tout le temps que dura cette manœuvre, Auligny ne s'occupa plus de la petite. Quand l'avion s'éloigna, il la revit, parmi des gamins qui stationnaient autour du camp.

Déjà l'ordonnance lui amenait son cheval, qui dansait comme une jeune gazelle, du plaisir d'avoir été lavé. Un mokhazni jetait de l'eau sur les cendres, pour que l'inconnu, qui pouvait venir, ne les trouvât pas chaudes. Les petites herbes foulées la nuit par les bêtes et les hommes commençaient à se redresser. Comment demander à Otero ou à El Ayachi un billet de vingt francs, et le donner à cette petite, devant cette troupe aux yeux fixés sur lui, devant ces gamins trop éveillés? Il cherchait le prétexte, et ne le trouvait pas, et le temps passait. Il eût pourtant été simple d'imaginer, par exemple, qu'hier, dans sa promenade au crépuscule, Auligny avait voulu boire du lait chez les nomades, et n'avait pu payer, faute de monnaie, — cela ou autre chose. Mais ce geste de donner de l'argent publiquement à une petite fille, qu'Auligny eût fait sans y penser, s'il avait eu la conscience tranquille, la mauvaise conscience le lui présentait comme une montagne de difficultés. Le courage qu'il avait disponible pour ce genre de choses (courage qui n'était pas très grand), il l'avait épuisé en causant avec la petite, au point d'eau, sans souci des mokhaznis. Souvent on mène à bien un acte qui vous coûte, et puis, s'il faut le recommencer, alors que le succès de la première épreuve devrait vous rendre aisée la seconde, cette seconde épreuve, on y échoue, lamentablement on se dégonfle : on avait donné toute son énergie en une fois.

Les hommes étaient en selle ; on n'attendait

plus qu'Auligny. Il sauta à cheval. Pas une fois
il ne retourna les yeux vers l'endroit où il savait
la rencontrer, elle et son regard qui dirait : « Hier, la
menace de mettre le feu. Aujourd'hui, la promesse
non tenue. » Il éperonna. La troupe se mit en marche.

A mesure qu'ils allaient, de ce tumulte doulou-
reux dont il était le siège, une idée nette se déga-
geait. Dire à Otero : « Sapristi, j'ai dû laisser (n'importe quoi) à l'emplacement du bivouac. Conti-
nuez, je pars au galop le chercher ; » revenir, donner
à la petite un des billets de cent francs qui se trouvaient dans son portefeuille. Cette idée folle, rien
n'était plus facile que de l'exécuter, — et cependant, mètre par mètre, ils s'éloignaient toujours
davantage, et il ne se décidait pas à le faire, non
parce que cela eût été fou, mais simplement par
manque d'audace ; une timidité passionnée le paralysait. Ce que fut sa lutte, faut-il le dire? Lorsqu'il
sut bien qu'il était trop tard, alors seulement il se
retourna ; et la lutte cessa, et il n'y eut plus qu'un
remords sans mesure. L'emplacement du bivouac
avait disparu. Les vautours qui l'encerclaient depuis l'aube avaient dû s'y poser, le dernier homme
parti, car dans le ciel blanc on ne les voyait plus.
De vingt, de trente kilomètres peut-être, on entendait encore le bourdonnement de l'avion, conduit
par cet air vierge. Aussi loin que le regard pouvait
s'étendre, ce n'était que flamboiement, perma-
nence, et solitude.

— Qu'est-ce que c'est?
— Mon lieutenant, un des hommes a été piqué.
El Ayachi n'a pas osé vous réveiller lui-même...

Auligny se leva sur un coude et reconnut vaguement, dans la nuit obscure, Otero et El Ayachi. Le *chech* (écharpe arabe) glissa de sa bouche, où entra un air qui lui parut froid. Il frissonna. Ses yeux ensommeillés le brûlaient. Et toujours ces réveils brusques lui faisaient battre le cœur. Celui-ci, entre tous, à cause de sa grande fatigue, lui était pénible comme un cauchemar.

— Qu'est-ce qu'il y a? redemanda-t-il, mal éveillé.

— Mon lieutenant, un des mokhaznis vient d'être piqué.

— Eh! qu'est-ce que vous voulez que j'y fasse? Il fallait battre le terrain.

— On ne sait pas si c'est une vipère à cornes ou un scorpion.

— Vous saurez ça demain. Si le type est crevé, c'est une vipère. S'il est vivant, c'est un scorpion.

— Alors, mon lieutenant… rien à faire?

— Vous le savez bien, qu'il n'y a rien à faire.

Otero salua, et Auligny sombra dans le sommeil.

Il eut un rêve. Il était en train de jouer au hockey. Ram, dans le camp adverse, faisait une « descente » à ses côtés. (La première fois qu'il rêvait à elle!) Et, lui, il mettait sa crosse contre la sienne, essayait de l'empêcher de jouer, non pas selon les règles du jeu, mais vilainement. Alors elle s'arrêtait et elle se mettait à pleurer. Puis, dans ses larmes, elle lui demandait : « Pourquoi tu m'as dit : « Fous le camp »?

Du moins, il se souvenait de cela, car il était réveillé, maintenant, au centre du bivouac, les yeux tournés vers le ciel sans étoiles, dans l'odeur

de cuir des cavaliers. Des chevaux, avec des hen-
nissements aigus, pareils à des rires de femmes, se
battaient, frappaient du sabot, cherchaient à se
défaire de leurs entraves. Un homme se leva et
alla consolider les entraves ; enfin ils s'apaisèrent.
Auligny se tourna sur le côté. Le feu semblait
éteint sous les cendres, mais parfois une flamme
sautait, éclairant un instant le visage d'une senti-
nelle dans son chech resté obscur, et allongeant
sur le sol son ombre. Les chevaux ronflaient maintenant, sauf un, tout proche d'Auligny, qui mas-
tiquait interminablement quelque immondice qu'il
avait découverte ; et parfois on entendait le bruit
court — comme si la bête, à la façon d'un cambrio-
leur nocturne, s'était immobilisée dès qu'elle s'était
entendue — d'un fennec ou d'un chacal qui faisait la chasse aux gerboises. Et Auligny voyait
Ram, Ram quand elle voulait dire non en abaissant
les coins de la bouche, — et la petite en grenat,—
et Boualem, la tête inclinée sur l'épaule (comme
elle !), les yeux baissés, appuyé contre le montant de la porte, qui disait : « Non, les Français
ne sont pas gentils… », — et Jilani, pendant que
Ménage jetait des noyaux de dattes sur la terrasse,
en faisait fuir les petites filles, — et le vieux caïd
aveugle, attendant pour se présenter que les lieu-
tenants eussent fini de causer entre eux, — et
Guiscart, le regard au loin, disant : « Pauvre race
vaincue… » Brusquement il se rappela le mokhazni
piqué.

Il se leva, et se trouva debout au milieu des
hommes étendus. Ils dormaient, le visage caché,
ou seulement le chech sur la bouche, dans des

poses enfantines, les uns si recouverts et si recroquevillés qu'on n'eût pas dit des personnes humaines, les autres, au contraire, naïvement étalés et livrés. Quelques avant-bras étaient dressés, verticaux ; aux doigts de ces hommes rudes brillait parfois une bague très fine, et les jointures de leurs doigts luisaient. Comme il les voyait pareils à des cadavres, une association d'images rappela à Auligny ce fait notoire : dans leurs rencontres entre eux, de tribu à tribu, il leur arrivait d'enterrer de leurs blessés qui respiraient encore, pour que l'ennemi ne les mutilât pas. « Sont-ce là des hommes ? se dit-il. Suis-je dans *ce qui est juste* en me dérangeant pour l'un d'eux ? » Il soupira et alla réveiller El Ayachi. Ils se dirigèrent vers le blessé.

Tantôt, Auligny rendormi, El Ayachi avait scarifié le pied du blessé avec son couteau poisseux, et l'avait trempé dans de l'eau bouillie sur le feu. Puis il avait fait une ligature au-dessus de la cheville.

Quand ils virent l'homme, jaune, immobile, la bouche ouverte, Auligny eut une certitude électrique : il était mort. El Ayachi lui pinça le nez pour le réveiller. Il étouffa et ouvrit les yeux. Ils regardèrent le pied, enflé et ridé tout ensemble, à la manière de certains visages de poupons. L'entaille rouge ne saignait plus. L'homme la fixait avec cet air étonné qu'ont les gens qui viennent de recevoir une balle dans la peau, et qui contemplent leur sang comme s'ils ne l'avaient jamais vu. Tout d'un coup il parut comprendre, et, saisissant une pierre qui se trouvait à sa portée, se mit à frapper sauvagement son pied avec cette

pierre, pour en chasser les génies qui le tourmen-
taient, tandis qu'il écartait le buste autant qu'il
pouvait, de crainte de se trouver sur le chemin
des génies quand ils sortiraient. Enfin il retomba
en gémissant.

Auligny se coucha de nouveau et s'endormit.

Quand il se réveilla, l'aube se répandait au fond
du ciel lointain, qui bientôt devint rose, d'un rose
glacé de serpent. Les corbeaux survolaient le
bivouac, se posaient sur ses confins, vous pous-
saient dehors pour faire la relève. Les chevaux
hennissaient, ayant senti l'orge fraîche. Le mokhazni blessé se leva en geignant. Sa voix lar-
moyante évoquait celle des mendiants profession-
nels. Venant en suppliant à Auligny, il lui expliqua
on ne sait quoi, voulut lui baiser la main, et,
comme Auligny retirait la main, baisa ses propres
doigts, avec des tremblotements. Au départ, on le
hissa sur son cheval ; son pied était énorme. Cette
morsure, cependant, n'eut aucune suite.

Plus tard, El Ayachi devait laisser entendre à
Auligny que des hommes avaient vu le scorpion
avant qu'il ne mordît le blessé. « Alors, pourquoi
ne l'ont-ils pas tué? » El Ayachi dit avoir posé la
question : les hommes lui avaient répondu que
les scorpions ne leur avaient jamais fait de mal.
La vérité était qu'ils révéraient les scorpions, parce
qu'ils avaient peur d'eux. Plutôt laisser mordre
le camarade, qu'irriter la bête vaguement divine.

Le soir, on était de retour au bordj.

VIII

Le lendemain. Une heure. Dans la palmeraie,
Ram rassemblait des palmes, en compagnie de sa
petite cousine, Zorah ; elle, toujours en guinée,
l'autre vêtue d'une robe capucine dont la teinte
répondait à celle des fleurs d'un grenadier proche.
Zorah, s'étant blessée au mollet, y avait enroulé
une feuille de palme en manière de bandage :
asepsie ! asepsie ! Ram entendit le pas d'un cheval,
et, au-dessus des murs bas, vit le visage d'Auligny.
Elle laissa passer un instant, puis, donnant sa
charge à Zorah, lui dit de rentrer au ksar, qu'elle
allait la suivre. La petite fille s'en alla. Encore un
instant, et Auligny poussa son cheval auprès de
Ram. Mais avant tout il la gronda. Dans l'un des
petits trous qu'elle avait au lobe des oreilles, elle
s'était passé en guise de boucle d'oreille une épingle
anglaise ! Sur les instances d'Auligny, elle l'enleva.

— Tu pourras venir, tout à l'heure?
— Si vous voulez.
— Mais quand? Tout de suite?
— Si vous voulez.

Sa reconnaissance éclata, déborda, en paroles
qu'il n'aurait pu retenir. Toujours « si vous vou-

lez » ! Comme les choses avec elle étaient faciles !
Comme elle simplifiait et adoucissait la vie ! Elle
souriait, gentiment. Elle était toute dans l'ombre,
mais le soleil avait les pattes sur ses épaules.

— Pourquoi ne voulais-tu pas, d'abord, avec
mon camarade?

— Vous, je vous connais.

— C'est la première fois que je t'ai vue méchante...

Le souvenir de cette « méchanceté », de cette
« résistance », l'emplissait d'amour. Après tout,
ne devait-il pas en être fier? Elle le préférait à
Guiscart. Pour la détacher davantage encore de
l'autre, il lui dit : « Je crois que tu n'as pas plu
à mon camarade, » (et, en effet, il le croyait.) Il
prolongeait cette minute, sans crainte. Dans une
oasis vous vous sentez toujours plus ou moins
surveillé. On entendait, assez loin, le grincement
de poulie d'un puits, indiquant une présence. Et
peut-être y avait-il qui les épiait, là-haut, dans le
feuillage d'un dattier, quelque enfant immobile,
émouvant comme la corolle humaine de cette
grande fleur ébouriffée. Mais la terreur qu'avait
Auligny, l'autre jour, qu'on le surprît avec la
petite en grenat, venait de sa honte. En ce moment-
ci, son sentiment pour Ram était tel que, quoi
qu'il fût advenu, il eût tenu la tête haute.
Tout cela, et dans ce décor, l'aimable sujet de
chromo !

— Si je n'étais pas venu te chercher ici, comment nous serions-nous retrouvés?

— Oh ! je savais bien que vous viendriez.

(Cela très simplement, sans la moindre intona-

tion de triomphe. Ah ! non, certes, ce n'était pas
une Européenne !)

Auligny ne se lassait pas de la regarder, en se
répétant : « Dans une demi-heure, elle sera dans
mes bras. O sécurité ! » Un souffle chaud venait
du côté du désert. Les palmes se balançaient lentement, mollement, comme des femmes pleines de
langueur. Il y avait des gazouillis d'oiseaux, des
crécelles de grenouilles, parfois l'ébrouement d'un
âne invisible, ou le bruit globuleux de quelque
petite vie qui sautait dans l'eau. Et les arbres,
là-haut, se faisaient leurs murmures, comme s'il y
avait au cœur de chacun d'eux une bête qui cris-
sait.

A l'instant de partir, la tentation fut trop forte.
Si on les voyait, eh bien, tant pis ! Il fit faire un
pas à son cheval, et, se baissant, saisit cette bonne
tête et la serra contre sa cuisse.

Puis il se dirigea vers le ksar. Combien de fois
se retourna-t-il pour voir si elle apparaissait, à
l'orée de l'oasis ? Enfin elle déboucha, les bras
pleins de palmes, tenant un pan de ses voiles entre
ses dents, ce qui était un de ses grands plaisirs,
et elle marchait avec les pas menus, pressés, de
ceux qui vont pieds nus, — ces pas qui rappellent
ceux des mules. Le cœur d'Auligny bondissait
de bonheur. Jamais il n'avait eu pour elle un pareil
gonflement d'amour.

Un amant qui voit son objet dédaigné par une
tierce personne s'éloigne de lui ou s'en rapproche :
il ne demeure pas dans son état. Auligny n'eût
pas été Auligny si le prétendu dédain de Guiscart,

à l'endroit de Ram, ne l'avait jeté vers elle. Il lui sembla qu'ils se pelotonnaient l'un contre l'autre, tous deux à l'écart, rejetés par la société dans leur bled aride. Quelques instants plus tard, tenant entre ses mains cette tête si ronde, il la ramenait vers lui, la bouche dans ses cheveux ou entre ses yeux, et il parvenait à un point exquis de tendresse, il allait si loin dans la tendresse qu'il en arrivait comme à l'extrémité d'un môle, quand le frais Océan vous cerne de toutes parts, — si loin, si seul avec elle, la tenant dans ce geste paternel, et presque maternel, étonné et comme effrayé de tendresse. L'ombre clareteuse de ses bras, ce potelé et ce fondant de ses mains, ce velouté de son visage, comme celui d'une fleur, mais d'une fleur qui serait chaude, ce qu'elle avait de tellement petit enfant... On l'eût tué plutôt qu'il ne lui causât un tort. Et il restait sans bouger, sans besoin de caresses, les yeux grands ouverts sur cette minute, et se répétant : « Je n'ai jamais rien eu, et il ne peut rien y avoir, qui me soit plus doux en ce monde. »

D'habitude, quand il la baisait sur la bouche, elle le laissait faire sans répondre. Il fut surpris que cette fois-ci, sans répondre davantage, elle entrouvrît la bouche ; de sorte qu'il se trouva la baiser à l'intérieur de sa bouche, presque sur les dents. Chaque fois qu'il recommença, il sentit les lèvres de Ram céder sous les siennes, comme pour l'inviter à entrer plus avant. Elle se serrait contre lui, et il pensa qu'elle avait froid (elle était nue), quoique cela fût très invraisemblable. Mais l'hypothèse que c'était là un élan d'affection était

bien plus invraisemblable encore. Cependant, il se
passa soudain une chose singulière. Contre sa
bouche, Auligny sentit un mouvement que d'abord
il ne comprit pas très bien, accompagné d'un bruit
étrange, d'une espèce de « cloc » pataud et un peu
bébête. Peu après, il reconnut ces baisers bruyants
que donnent les enfants. (« Allez, fais une bise à
Tata. ») Pour la première fois, Ram lui donnait des
baisers.

Il ne dit pas un mot, et tout ce qui suivit se
passa dans un silence absolu. Il était si stupéfait
qu'il la laissait faire, sans même lui rendre ses
baisers. Mais voici que, son corps toujours serré
contre celui d'Auligny, elle écarta un peu le buste
— elle qui, depuis le début, ne se permettait
jamais de modifier une position qu'il lui avait
donnée, — et, opposant son visage au sien, se mit
à le regarder.

Quelquefois un petit enfant (de cinq ans, mettons), que nous ne connaissons presque pas, après
nous avoir escaladé, car nous sommes assis, nous
regarde avec persistance, ses beaux yeux grands
ouverts, son visage tout près du nôtre, et ensuite,
le premier, se met à nous embrasser, comme si
c'était la contemplation de notre visage qui lui avait
donné l'envie de ces baisers incompréhensibles,
comme s'il avait interrogé notre visage, et que sa
réponse lui avait plu. Et nous, tout en le baisant
(non sans réserve), nous lui disons : « Holà ! Holà !
moutchatchou, *qué pasa ?* », car nous ne comprenons
pas ce qui a pu lui suggérer ce désir si soudain et
si vif de nous embrasser, nous craignons qu'il ne
se soit trompé, et que ses baisers ne lui procurent

pas ce qu'il en attendait d'agrément, à moins qu'il ne nous ait confondu avec quelque cousin, ou animal de la sorte, et que brusquement, se désabusant enfin, il ne nous repousse, ne nous glisse des genoux, et ne s'enfuie à toutes jambes, comme si nous nous étions changé en diable. Auligny voyait Ram, l'ayant longuement regardé, sa face à quelques centimètres de la sienne, maintenant la faire aller à droite et à gauche, et ses narines palpiter petitement et rapidement, comme celles d'une gazelle, tandis qu'elle lui humait ainsi le visage. Et soudain elle piqua, tomba de la bouche sur sa bouche, d'abord y resta sans remuer du tout, puis la baisa à petits coups précipités, comme si elle picorait, et cela dura un bon moment, tant qu'enfin elle se dégagea, en poussant un profond soupir. Puis elle s'étendit à son côté, comme pour se reposer, tandis qu'il demeurait inerte, brisé de bonheur. Bientôt elle vint au-dessus de lui, lui détacha contre les joues et dans le creux du cou des baisers appuyés, réfléchis, qui s'irradiaient sur sa peau en frissons froids, suspendit son visage au-dessus du sien, en le faisant aller de-ci de-là, et le laissa tomber droit sur sa bouche, comme un rapace qui tournoyait avec lenteur au-dessus de sa proie, et tout d'un coup s'abat. Et enfin, poussant encore un profond soupir, retourna s'allonger à son côté.

Auligny restait toujours étendu, la bouche entrouverte, sans un geste, sans un mot. Comme notre regard, quelquefois, quand il a fixé une étoile, croit voir à côté d'elle un reflet d'étoile, il voyait sur sa poitrine nue, à côté de ses mame-

lons, deux marques de mamelons, moins distinctes,
comme les reflets des siens, là où les seins de Ram
s'étaient enfoncés. Puis il leva les yeux, et, les
tenant fixés sur l'angle du mur avec le plafond,
il eut diverses pensées. Il pensa : « Je *compense*,
avec tout ce que je lui donne, tout ce qu'on ne
donne pas de douceur aux autres de sa race. »
Il pensa : « Je me fous de son corps. Des millions
de corps sont aussi beaux que le sien. Je veux le
don de son âme, et je l'ai. » Comme il avait besoin,
obscurément, de la rattacher au système de pitié
auquel appartenaient la petite en grenat, le vieux
caïd, Boualem, etc... il songea, non sans exagérer
(les femmes, à Birbatine, étaient traitées avec respect ; les fillettes mêmes y étaient appelées
Lalla (1)) : « Si exquise, et réduite à quoi ! Ne
sachant ni lire, ni écrire, ni seulement coudre...
Demain, mariée sans son consentement, et Dieu
sait avec qui ! Après-demain, cassée en deux sous
les fardeaux, rouée de coups, une bête de somme... »
Tant qu'elle l'avait caressé, les nerfs du plaisir
étaient restés en lui assez calmes : la jouissance
de son cœur était trop forte pour n'anémier pas
l'autre. Mais la pitié se porta au centre même de sa
virilité. Il prit la tête de Ram, avec passion la
pressa dans son cou, où elle s'emplit de baisers,
puis elle se détacha, quand elle en fut saoule,
comme se détache la sangsue pleine de sang, et
il reposa cette tête saoule sur le matelas à côté de
lui.

Il n'avait jamais vu Ram autrement qu'ap-

(1) Madame.

puyée contre ces couvertures pliées, et recouvertes
de deux serviettes de toilette, qui tenaient lieu
d'oreiller au lit de la maison Yahia. Cette tête
si basse, à même le matelas, le bouleversa, comme
si elle était le symbole de « la chute », et bien que
ce fût lui qui l'eût placée là, conduit par le génie
de la volupté. « Je me fous de son corps, » et c'était
vrai que l'instant précédent il s'en foutait ; mais
cet instant-ci n'était pas l'instant précédent. Il se
redressa, l'encadra avec sang-froid, minutie même.
La gorge de Ram se gonflait et se creusait comme
une mer démontée, ses prunelles volaient à droite
et à gauche, comme des oiseaux du ciel, soudain
mis en cage, se jettent à droite et à gauche de la
cage. Il lui renversa la tête en arrière, et, les lèvres
collées à ses narines, il la posséda complètement.

Quand ils se séparèrent, le visage de Ram avait
repris tout son calme. Il la laissa seule un instant,
puis voulut rentrer dans la pièce, mais elle cria :
« N'entrez pas ! » ; cette pudibonderie, alliée au
don de soi, parut à Auligny chose très européenne.
Il lui dit la phrase rituelle : « Si tu veux te rhabiller… », car jamais elle n'aurait eu l'audace d'es-
quisser le geste de partir, sans qu'il l'y eût invitée.
Elle eut un signe de tête qui semblait vouloir dire :
« Nous causerons de cela tout à l'heure, » et elle
s'étendit à nouveau, nue, sur le lit. Et alors son
visage qui, depuis qu'ils s'étaient relevés, avait
paru indifférent, prit une expression de bonheur.

Il s'était assis au pied du lit, un pied de Ram,
crissant de sable, dans sa main, et elle en faisait
bouger les orteils, soit parce qu'il la chatouillait,
soit en manière de petit jeu. « Que dirait ton père,

s'il apprenait?... » Elle répondit en français : « Je
ne sais pas. Je ne suis pas dans son cœur. » Où
avait-elle appris une pareille phrase? Avec quel
prédécesseur d'Auligny? Dans quelles confidences
de son frère? Ce mot de cœur, si inattendu dans sa
bouche, y prit un écho extraordinaire. « Elle sait
donc ce que c'est qu'un cœur ! » se disait Auligny,
plein de songe. Alors il se laissa glisser à genoux,
contre le lit, le front appuyé sur le matelas, d'une
main tenant une main de Ram, l'autre posée sur
l'un de ses genoux. Bientôt, comme si ces contacts
avaient été encore trop, maintenant que le « je me
fous de son corps » avait pu reprendre toute sa
puissance, il les fit cesser, tous deux, l'un après
l'autre, et resta le front dans le drap, sous lequel
il avait glissé ses mains, — « comme dans une
nappe de communion, » pensa-t-il. Cette image
passa auprès de celles qui l'occupaient sans les
toucher, sans éveiller en lui aucune résonance,
comme un train croise un train dans la nuit. Il
demeura ainsi, à quelques centimètres d'elle,
pourtant aussi détaché d'elle que si elle se fût
trouvée à des lieues de là. Il avait la conscience
confuse qu'un jour il était resté longtemps dans
cette même attitude, mais à quelle occasion, il
n'eût pu le dire. Soudain il se rappela : c'était
contre le lit où reposait le cadavre de sa sœur.
Ce souvenir lui aussi passa à côté de son âme sans
la toucher ; il n'en sentit pas même le souffle.

Quand elle fut à se rhabiller, l'amour d'Auligny
buvait, soutirait tellement sa force — comme avec
une pompe — qu'il s'adossa contre le mur, comme
s'il était prêt à tomber de langueur. A l'instant

du départ, il la baisa sur les yeux, et lui dit un
terrible mot de faible, la première parole de sa
félicité, et c'était une parole de crainte : « Ne fais
jamais rien contre moi. »

Ce soir-là, à 8 heures et demie, le lieutenant est
assis dans sa chambre, à sa table couverte de sable
qu'il n'a pas épousseté, la porte ouverte sur la
cour du bordj. Ce n'est pas un amant ordinaire,
avec seulement son amour qui a éclaté et qui lui
fait dans le cœur son grand murmure. Derrière ce
qu'il aime, il a atteint un monde qui à son contact
s'est mis à bouger. Tous ces mouvements de sympathie qu'il a eus pour l'indigène, depuis son arrivée
à Birbatine, il fallait qu'une émotion puissante et
intime, telle qu'en donne l'amour, vînt les lier,
leur donner l'unité, et puis les inonder de sa sève
impétueuse qui les fait germer tout d'un coup,
comme par une sorte de miracle. Les civilisations,
les doctrines, les paysages sont des palais de Belles
au Bois dormant, inanimées et inertes jusqu'à ce
qu'un baiser les éveille. Hier, il était recouvert
pour nous d'une mer d'indifférence, ce domaine
spirituel ou réel dans lequel nous n'avions pas
aimé. Et soudain voici qu'il existe, qu'il compte
intensément pour nous. Nous le cultivons, nous
l'approfondissons, nous en faisons notre chose. Et
nul ne se doute de ce qu'il y eut de passionnel à
l'origine de cette action aujourd'hui désintéressée.
Et c'est tant mieux, il faut bien le croire : on tien-
drait pour suspecte une aventure de l'esprit ou de
la conscience qui aurait commencé par être une
aventure du cœur.

D'où il est assis, Auligny ne voit qu'une petite bande de ciel nocturne posée sur le mur du bordj, et mordue par la silhouette du veilleur. Son regard n'embrasse que la cour déserte. S'il n'avait en lui que l'amour de Ram, il prendrait le chemin éternel des amants : il sortirait du poste et irait s'enivrer d'espace, de nuit et de solitude. Mais non, cette cour banale, dénuée de tout romantisme, pas même « orientale » d'aspect, c'est le lieu qui convient à sa pensée, ou plutôt à sa songerie, où la pensée de demain est enclose : elle tourne et se retourne dans cet enclos resserré. Le désert n'appelle pas Auligny, nulle voix, nulle poésie ne s'en élève pour le détourner de ce qui lui est propre, et qui est l'homme. Un être, Ram, a ébranlé ce grand commencement qui se fait en lui, et ce qui seul l'occupe, à présent, ce sont des êtres, les êtres de la famille de Ram, et la cour du bordj ne lui parle que d'eux.

Ils y sont invisibles, cependant, à l'exception d'un homme qui parfois traverse la cour, portant une lumière, — une bouteille éculée qu'il tient par le goulot, et dans ce goulot est plantée une chandelle. Mais Auligny sait que, dans les cellules de l'aile droite, les tirailleurs jouent aux cartes : il le voit aux ombres qui bougent devant leurs portes, sur le sol trempé de rose par la lueur tremblotante de leurs bougies. De l'aile gauche montent les chantonnements des mokhaznis, qui s'accompagnent en frappant dans leurs paumes, et, pour les avoir vu faire plus d'une fois, Auligny devine qu'il y a aussi une flûte, mais si faible qu'il n'en saisit rien, que c'est tout juste si dans le

groupe même on doit en percevoir le son, et les
cordes d'un guembri, si faibles elles aussi qu'elles
sont presque comme si elles n'étaient pas. Et dans
ces instruments fantômes, dans ces voix discor-
dantes et gauches, qui se taisent après quelques
mesures, comme faute d'inspiration ou de souffle,
dans ces claquements de mains sans rythme,
prompts à cesser eux aussi, comme par fatigue
ou défaut de conviction, il y a quelque chose
d'hésitant et d'humble, quelque chose de pauvre
qui pénètre dans le cœur d'Auligny : c'est bien
la misère de l'Islam, son manque de valeur, son
manque de talent, son âme avortée et « pas fixée »,
c'est bien la « pauvre race vaincue ». Il lui semble
que l'Islam sommeille, et se plaint dans ses rêves,
comme faisait Zoubida, la chienne arabe, avant
que Guiscart ne la prît et ne la baisât entre les
yeux. Une race moribonde, que notre contact
achève, pleure sans bruit, sans force, et sans toucher nul autre qu'elle-même, sur un roseau qu'on
n'entend pas, les malheurs de sa patrie. Et soudain, du côté des tirailleurs, une flûte vivante,
nombreuse, agile, élève sa modulation dans la nuit.
Elle fait songer à une source, avec son clapotement
qui va ; il en sort une sensation de fraîcheur ; et
Auligny, de nouveau, se souvient de Guiscart,
quand il évoquait ces flûtes arabes qui dessinaient
leur filigrane ténu au-dessus d'Alger endormie.
Son émotion pour cette race est redoublée, étayée
par l'émotion qu'avait Guiscart en parlant d'elle,
comme on aime davantage une femme que l'on
sait aimée par un autre homme. A l'élan de son
cœur, à l'inquiétude de son esprit, cette flûte

communique un *vibrato* qui étend le rayon de leurs
ondes, et fait entrer les puissances nerveuses dans
le débat.

Qu'était-ce que son petit désir pour Ram, jusqu'à ce jour? Le registre change, le ton s'élève.
Des sentiments qui parlaient chez lui en sourdine
vont y prendre une voix dominante. Sous l'influence de son amour pour Ram, ces hommes autour desquels sa sympathie a toujours tourné,
maintenant il les aime. Mais, soulevé par cette
grande lame, il dépasse son éducation, le rôle
qu'on lui a confié, son devoir même peut-être :
en cet instant, ces hommes, il les préfère à ses
compatriotes.

Mouvements redoutables ! Il est entré dans le
jeu social sous les couleurs d'une équipe ; on savait
exactement ce qu'il était, ce qu'on devait attendre
de lui. Et ne dirait-on pas qu'au beau milieu de la
partie il change de maillot, se met avec l'adversaire? Il a cessé de voir à travers les idées qu'on
lui a apprises, les lunettes qu'on lui a données.
Maintenant il voit avec ses yeux à lui, et il oblique,
prend une autre direction. Où va-t-il? Dans le
même instant où son amour, comme pour prouver
qu'il est bien de l'amour, le rend triste, alors qu'il
a toute raison d'être heureux (il se sent si inférieur
à elle, si indigne d'elle, cette petite Bédouine prostituée !), son esprit vole en avant, déjà découvre
la terre inconnue. Avec une témérité naïve, il lui
semble qu'il devance ses camarades, ses chefs,
voit des choses qui leur sont cachées, et met la
main, en jeune conquérant, sur une vérité plus
vraie que la leur.

A peine l'aiguille a-t-elle dépassé 9 heures, plus
de flûte, plus de claquements de mains. On n'entend que les hommes qui toussent, comme ils
toussent longuement au réveil, comme on tousse
partout où il y a des soldats indigènes, et cette
toux ajoute une raison actuelle, précise, à la pitié
qui coule du cœur d'Auligny. Bientôt c'est le
silence : en vingt minutes ils se sont endormis,
comme les enfants. Et sur cette centaine de som-
meils simples, sous une mauvaise lampe, encerclée
d'insectes effervescents, dans une pauvre chambre
sablonneuse, un esprit veille, comme déjà l'autre
nuit, dans le désert, quand le lieutenant était seul,
debout, au milieu de ses hommes assoupis. Cette
petite lumière dans la nuit, c'est une image classique (dont, tout physiquement, Auligny n'est pas
sans subir l'influence), c'est, quand les êtres qui
leur sont confiés reposent, la guérite éclairée du
timonier à la barre, la chambre du directeur de
collège, ou bien — dans ce bordj qu'à son premier
regard, le découvrant de la piste, il avait vu semblable à un cloître, — la cellule du Père abbé qui
prie sur le couvent insoumis. C'est le symbole
émouvant du chef, de celui qui sait plus que les
autres, se donne plus qu'eux, et qu'ils tiennent.
Mais parfois ne vaudrait-il pas mieux que la lampe
fût éteinte? Avec les fols insectes emportés dans
leurs rondes, un généreux désordre tourbillonne
sous celle d'Auligny.

« Un esprit veille »? Pourtant, de même qu'hier
dans le désert, Auligny n'est pas tout à fait seul
à veiller. En face, sur la tour de guet, il voit la
silhouette du guetteur, et il n'en peut plus déta-

cher les yeux. Un homme veille comme lui, un homme veille pour lui, et tout à l'heure, quand lui aussi il dormira, cet homme veillera sur lui. Et cet homme est de la race qu'il est venu ici combattre ! Et le lieutenant se dit :

— Qu'est ce pays, aux yeux des Européens qui y viennent? Les uns y viennent pour s'enrichir en un tournemain, c'est-à-dire pour voler. Les autres pour faire les tyranneaux sur le dos de l'indigène. Les autres parce qu'il y a un rond-de-cuir libre, avec le quart colonial. Les autres pour y satisfaire leurs sens loin des lois. Les autres pour se distraire, se faire des souvenirs imagés. Et moi je croyais y être venu pour y maintenir la force de mon pays. Mais en réalité je suis venu pour voir comment un vainqueur peut s'attacher un vaincu. Seul de mon espèce, je suis venu pour *l'âme*.

Le lieutenant Auligny ne parle encore que de l'âme. A cause de Ram, il veut s'attacher le musulman, et c'est parfait. Mais, dans les natures sensibles telles que la sienne, c'est l'âme, c'est le cœur, ce sont les entrailles qui éveillent l'intelligence : l'esprit leur vient de la manière qu'il est réputé venir aux filles. Chez Auligny, l'amour a comme percé des nuages, entraînant derrière lui la charité, mais le soleil de l'intelligence passe ensuite par la brèche qu'ils ont ouverte. Cette sympathie pour les indigènes, n'en va-t-il pas sortir qu'il va distinguer trop bien les raisons de ce qu'il est venu combattre? Qu'est-ce qu'un prêtre intelligent? Il perdra la foi. Qu'est-ce qu'un juge qui comprend trop la vie? Il ne pourra plus qu'ab-

soudre. Et qu'est-ce qu'un officier trop lucide?
Sitôt qu'il y a intelligence, il y a nuance, et sitôt
qu'il y a nuance, il n'y a plus de parti.

Ces questions, ces débats, ces deux ordres qui se
combattent, tous deux nobles, s'ils sont servis
par un cœur noble — et assurément Auligny, petit
par les vues, était grand par le cœur, — ce sera
la matière de ce récit.

IX

Quand, le lendemain, Auligny revit Ram, il lui vint une idée très bourgeoise. Il lui dit :

— Tu devrais me dire *tu*.

— Vous dire *tu* comme les Arabes?

Elle voulait dire : comme font les Arabes, qui tutoient les Français, lorsqu'ils savent mal notre langue.

— Oui. Maintenant que tu es ma maîtresse...

— Moi, je suis votre maîtresse?

Il lui dit qu'elle l'était, et en vertu de quoi. Mais alors la figure de Ram se rembrunit, et Auligny comprit que dans cette cervelle de petite sauvage les conventions étaient aussi importantes que dans celle d'une bourgeoise européenne. Ram avait cessé d'être vierge, mais la bienséance voulait que la fiction de sa virginité fût maintenue, même à ses propres yeux. Et maintenue comment? En ne faisant jamais allusion à la « faute ». L'autruche, fameuse pour sa politique, est un volatile du désert.

Dix minutes se passèrent, et Auligny remarquait qu'aucune des paroles de Ram ne comportait un *tu* non plus qu'un *vous*. C'étaient des tournures générales, des *on*, des *y a*... Manifestement, elle

ne voulait pas le tutoyer, et craignait d'autre part
une observation au premier *vous*. Enfin elle dut
s'armer de courage, et le *vous* reparut. Était-ce,
chez elle, un incoercible respect? Ou si le *tu* la
choquait, parce que trop intime, et correspondant
mal à la réalité de son sentiment pour Auligny?

Il avait fait cette remarque mélancolique, que
jamais il ne l'avait vue rire quand elle était avec
lui seul, tandis que souvent elle riait quand elle
était dans l'oasis avec les cueilleuses de branches.
Ce jour-là, pour la première fois peut-être, elle rit
franchement à la maison Yahia. Il est vrai qu'Auligny n'en eut pas de mérite, car elle rit pour
quelque chose qu'elle disait elle-même... N'importe, elle riait sous son toit, et c'était une nouveauté.

Cette seconde possession montra plus que jamais
à Auligny combien la volupté et l'amour sont
choses distinctes. Son plaisir fut, presque tout
entier, fait de celui de Ram. Ce plaisir de Ram
fut bien sensible. Et Auligny de lui demander
comme naguère, pour lui extorquer un aveu que
sa vanité eût adoré :

— Ça t'est désagréable?

— Non, non...

— Ça t'est agréable?

— Oui... Pas beaucoup. Ça m'est égal.

Il en rit, parce que, tout à l'heure, le corps de
Ram, son visage l'avaient assez trahie. Et il
admira sa fierté, qui maintenant encore s'obsti-
nait à nier le plaisir. Elle voulait avoir l'air de
consentir par complaisance. Mais recevoir le plaisir
du Roumi, cela, non. Lui, cependant, il était étonné

que, dès la seconde fois, sa sensation eût été si
médiocre. Mais, s'il se fût passé aisément du plaisir
qu'il recevait d'elle, il ne pouvait plus se passer
du plaisir qu'elle recevait de lui.

La vérité est que Ram cessait d'être au premier
plan de son souci. Le sommet de leur liaison avait
été atteint la veille. Maintenant déjà il s'installait
dans son amour. Et Ram était un peu repoussée
dans l'ombre par les pensées nouvelles qui pres-
saient le lieutenant. Auligny découvre nos devoirs
à l'égard de l'indigène....

Chaque jour quasiment qu'ils ne se rencontraient
pas à la maison Yahia, Auligny allait à la palmeraie, espérant y apercevoir Ram. L'ordonnance
gardait son cheval à l'orée de la palmeraie, et il s'y
engageait à pied. D'ordinaire il trouvait Ram en-
tourée des cueilleuses de branches, et il s'arrêtait
pour leur dire quelques mots. Les intermèdes gracieux étaient fréquents. Tantôt l'une d'elles, quand
il s'était éloigné, courait après lui : « La montre? »
(pour : l'heure?) — « Neuf heures. » — « Deux
heures ! Bien ! Deux heures ! », et elle repartait
en courant, sœur de ces petites filles de France
qui, au Bois, viennent vous demander l'heure et
puis, sitôt qu'on l'a dite, tournent bride sans un
« merci », et s'enfuient au grand galop, comme si
vous leur aviez montré... le diable ; elle partait
et communiquait cette heure fantaisiste à ses com-
pagnes qui, Dieu sait ! n'avaient que faire de
savoir l'heure, tout cela n'étant qu'un manège
de coquetterie.

Ou bien c'en était une autre, plus jeunette encore,

qui détournait la tête à chaque parole qu'on
lui adressait, en baissant les yeux, mais avec un
sourire malicieux qui démentait ces yeux baissés,
et promettait tout, ou peut-être rien ; une autre
encore, qui avait grand'peur d'Auligny, à chaque
pas qu'il faisait vers elle prenait la fuite, mais
après quelques bonds s'arrêtait et se retournait,
partagée entre la sauvagerie et la curiosité (ainsi
exactement font les gazelles), enfin se cachait derrière le tronc d'un dattier et là, à l'abri, ne laissait
plus passer que la main, du geste le plus imprévu :
« *Sourdi, brabbi, brabbi* (1)... », mêlant de façon
cocasse la convoitise et la frayeur, tout cela dans
les moqueries et les éclats de rire des grandes. Ce
brabbi, brabbi..., à voix si menue, avait une grande
douceur pour Auligny. Peut-être lui rappelait-il
obscurément le divin épisode de l'Évangile, quand
la femme vit un homme qu'elle « prit pour
le jardinier » ; mais il l'appela par son nom,
et elle, le reconnaissant, lui dit ce seul mot :
« Rabbi... »

Souvent Auligny avait trouvé les petites filles
européennes plus dignes d'être aimées, à l'état
d'enfançonnes, qu'elles ne le seraient plus tard, —
encore que le pressentiment de la féminité entrât
dans ce charme de leur gosserie. Il pensait alors :
« La sottise, qui chez les jeunes filles agace, parce
qu'elles comptent pour des personnes raisonnables,
est attendrissante chez une petite de douze ans.
La coquetterie, qui chez une jeune fille vous
éloigne ou vous rend insolent, chez une petite vous

---

(1) Un sou, pour l'amour de Dieu.

paraîtra drôlerie. » Plus sûrement encore, les cueilleuses de branches semblaient avoir atteint, impubères ou pubères depuis peu, le point extrême de
leur grâce. Auligny ne se lassait pas de regarder
ces petits miracles de pureté et de gentillesse (pureté des traits, de la peau, de la ligne, des attaches).
Bien plus instinctives que les garçons, elles suggé-
raient une race pas encore tout à fait humaine,
toute pleine encore du génie des bêtes. A la fois
femmes, enfants et bêtes, si naturelles, si légères,
comment tout l'univers ne se mettait-il pas d'accord pour reconnaître que c'était *cela* qu'il fallait
aimer? Vues d'ici, les femmes, les Européennes
surtout, les femmes *personnes légales*, faisaient
l'effet à Auligny d'objets assez redoutables, prenant terriblement de la place, terriblement com-
pliquées, exigeant terriblement de temps, d'attentions, d'égards, de soucis, etc..., et, même les
bonnes et les douces, finissant toujours par vous
créer des histoires. Mais avec les cueilleuses de
branches tout était aérien et facile, tel que pouvait être l'amour aux temps de la fraîcheur du
monde. Et puis, il lui semblait que jamais plus
il ne pourrait désirer une femme d'une « certaine
classe sociale », comme il désirait quelqu'un qui
était tout proche de la terre. Et puis, les Européennes étaient *trop grandes*... Et puis, il ne savait
que leur dire...

Et les garçons, maintenant. Naguère, importuné
par les gamins qui lui apportaient un oiseau pris
au piège, des dattes, une petite rose à la queue
court coupée, il les envoyait promener, quelquefois rudement. Maintenant il ne le pouvait plus.

Il avait beau savoir que, malgré leur affirmation :
« Cadeau, » le geste était intéressé — courtisanerie,
ou espoir de quelques sous, — toujours fonctionnait en lui, comme automatiquement, la réserve :
« Si, *malgré tout*, il y avait là un mouvement spontané? » et la pensée de cette offre rebutée — l'offre
rebutée : ce qui existe de plus cruel au monde —
suffisait à lui faire accepter le « cadeau » et à le
rémunérer.

En fait, était-il si certain que le geste des enfants
fût intéressé? Nous avons tous vu des Marocains,
de qui nous longions la vigne, nous offrir des
grappes, et être sincèrement surpris si nous fai-
sions mine de vouloir les payer.

Quand le cadeau était un oiseau capturé, toujours il relâchait celui-ci ; c'était là pour lui un
acte parfait : avoir fait plaisir ensemble à la bête
et à l'enfant. Quand c'était une petite fleur, comme
il trouvait inconvenant de la passer dans une bou-
tonnière de sa tunique, il la gardait à la main.
Il eût été facile de la jeter, mais, cela aussi, c'était
un geste qu'il ne *pouvait* pas faire. Il imaginait
que l'enfant le voyait, et disait avec tristesse :
« Voilà ce qu'il fait de ma petite fleur ! » Il avait
beau s'indigner presque d'être si sensible — « Je
suis idiot ! idiot ! » — il ne jetait pas la petite
fleur. Il la gardait entre les doigts, une heure
durant peut-être, bien qu'elle le gênât fort, et
en sortant de la palmeraie l'accrochait dans les
crins de son cheval.

Il y avait quelquefois chez un de ces enfants
un geste charmant de confiance. Un jour qu'il
demandait à un petit garçon où se trouvait le

jardin d'Un tel, le petit, pour l'y conduire, l'avait pris par la main.

Tandis qu'il marchait, toujours songeant, dans les étroits chemins encaissés, il lui arrivait d'entendre le chant d'un indigène qui venait vers lui, rendu invisible par un détour du chemin ; parfois même c'étaient deux voix alternées, l'une vieille et l'autre jeune, comme dans les antiques pastorales. Soudain l'homme apparaissait, apercevait le lieutenant, et son chant s'arrêtait net, et Auligny songeait : « Je suis l'étranger, le maître et l'ennemi. Je suis *celui qui les empêche de chanter*. Que leur reste-t-il, pourtant, que leurs chants? » Une réflexion analogue lui était suggérée par le chien Citron, qui jouait d'une façon enfantine avec un bout de chiffon, et tout à coup, voyant le regard du lieutenant posé sur lui, à l'instant cessait de jouer, baissait la tête, l'air penaud. Auligny avait beau savoir que cette pudeur du jeu se rencontre souvent chez les chiens, il ne pouvait éviter de se dire : « Je suis *celui qui les empêche de jouer*. » Car Citron, en ce moment-là, faisait partie de la race arabe ainsi qu'un homme : il se rappelait ce soir où, Zoubida endormie gémissant dans ses rêves, Guiscart l'avait prise et l'avait baisée entre les yeux, dans le même temps qu'il élevait sa plainte sur la « pauvre race vaincue », comme si une mystérieuse correspondance lui avait fait baiser toute cette race en ce corps animal né de la même terre qu'elle, — soir de grandiose confusion, quand le désert avait le parfum de la prairie, quand les étoiles, comme les yeux des bêtes, suppliaient du besoin de s'exprimer. Que de choses

étaient nées, ce soir-là, en ce peu d'heures ! Là
était la source de tout.

C'était vrai, qu'en suivant un grand nombre
de ses pensées, il aboutissait à une parole de Guiscart. Par exemple, il lui arrivait (puisque nous
sommes au chapitre des chiens) de faire la remarque que les chiens de Birbatine aboyaient,
Dieu sait, à tout rompre, mais ne mordaient jamais.
Ils aboyaient par acquit de conscience, avec de
l'indifférence plein les yeux, quand ce n'était pas
en se grattant le ventre, comme pour bien montrer que leurs aboiements leur laissaient toute
leur liberté d'esprit. Pour un homme dans la
disposition d'Auligny, cette observation si simple
ne pouvait en rester là. La rapprochant de ce que
des camarades lui avaient dit, qu'ils ne sortaient
le soir qu'avec un bâton contre les chiens, il con-
cluait : « Ces chiens sont plus doux que ceux
d'Europe. On les calomnie, comme on calomnie
leurs maîtres. » Et soudain il se souvenait que Guiscart avait prétendu que les chiens arabes, au contraire de leur réputation, sont souvent doux.
Inconsciemment, la phrase avait dû cheminer en
lui. Eût-il fait cette remarque, si Guiscart ne l'avait
faite avant lui?

Ou bien, venu seul à la palmeraie, il descendait
de cheval, allait s'asseoir à l'ombre, laissant en
liberté la bête qui, sans être attachée, restait
immobile comme une pierre. Auligny songeait
alors, avec un sourire, à Ram demeurant dans
la position qu'il lui avait donnée, et il se disait : « Au seul cheval arabe on peut demander
cela. Guiscart m'avait bien dit que le cheval

arabe était plus facile à vivre que les autres. »

Une autre fois encore, une histoire de chien aboutit à une parole de Guiscart. Auligny lisait, assis un peu en retrait dans sa chambre. C'était après déjeuner, et, à cette heure de chaleur suprême, la cour du bordj était déserte. Seul, Ce-qu'il-est-bête-ce-gosse-là (c'était le nom qu'on avait donné à un des gosses arabes) était couché par terre, le dos à un pilier, son crâne rasé prenant dans l'ombre la couleur argentée de la feuille d'olivier, et il tenait Citron entre ses bras. Auligny, qui toujours guettait un trait de délicatesse chez les indigènes, marquait déjà à leur actif ce mouvement affectueux pour une bête — qu'il eût peut-être été plus juste de marquer à l'actif de l'enfance, — quand il fut témoin d'un geste qui lui parut extraordinaire. Le gamin regarda autour de lui, du regard très reconnaissable de celui qui veut s'assurer qu'on ne le voit pas, puis, se baissant, souleva une patte du chien et la baisa. Dans Auligny stupéfait passèrent les larmes de la « petite grenat » (1), et le mot qui déjà avait fait rêver Guiscart : « Il n'y a pas beaucoup d'amour dans l'Islam... » Non, sans doute, il n'y avait pas beaucoup d'amour dans l'Islam. Et pourtant, cela, cela *au moins*, cela avait existé... Et le capitaine de Tilly, qui avait bourlingué dans toutes les colonies, disait, paraît-il : « Les nègres sont gentils et dévoués, ies Indochinois doux et sans fanatisme. Ce sont les Arabes la plus sale race. » Si la « plus sale race »

(1) Ni ce geste de l'enfant, ni les larmes de la « petite grenat » ne sont une invention de l'auteur.

était capable de ces petits traits, de quoi donc étaient capables les autres, subjuguées elles aussi?

... On voudrait s'arrêter un instant, se demander : quelle est la part du christianisme, où il a été élevé, dans l'étrange attendrissement de cet homme? Eh bien! cette charité, en lui si envahissante, ne rappelait jamais à Auligny le christianisme, tant son éducation catholique avait peu mis l'accent sur la charité. Bien plus, il aurait été fort surpris si on lui avait dit que son Dieu, Jésus, avait proclamé que le Jugement serait fondé *uniquement* sur la charité : page si belle et si imposante qu'on est tenté parfois de la presser contre son cœur, comme les Orientaux appuient sur leur front la lettre de leur bien-aimée. La dissociation était complète, chez lui, entre charité et catholicisme. Si quelque franciscain ou autre se fût trouvé à Birbatine, il n'eût pas manqué de chercher à convaincre Auligny que c'était l'Évangile de ses jeunes années qui revivait dans son nouvel état d'âme. Mais la charité d'Auligny lui était naturelle : elle n'avait besoin ni de révélation, ni de décalogue, ni de récompense. Elle coïncidait avec la leçon du christianisme. Elle n'en était pas le fruit.

Une fois seulement, il eut une pensée pour cette religion. Lisant une *Histoire des Arabes* que lui avait prêtée Yahia, il en vint à certain passage où il est parlé d'un poète arabe d'autrefois, de qui les ancêtres, Espagnols d'Andalousie, avaient été chrétiens jusqu'à l'époque où son bisaïeul embrassa l'islamisme. Et l'auteur remarquait, dans les poèmes d'amour de ce lettré, « des traits d'une sensibilité exquise, et peu commune chez les Arabes. » « Il ne faut pas oublier, disait-il, que ce poète, le plus chaste des poètes arabes, n'était pas arabe pur sang. Arrière-petit-fils d'un Espagnol chrétien, il n'avait pas entièrement perdu la manière de penser et de sentir propre à la race dont il était issu. Ces Espagnols arabisés, au fond de leur cœur, il restait toujours quelque chose de pur, de délicat, de spirituel, qui n'était pas arabe. »

Auligny rêva sur ce texte. « Ce que je poursuis en Ram, et en eux tous, et avec quelle passion ! ce sont des traces de cette délicatesse. Je ne leur demande pas d'être vertueux. Je leur demande d'être sans ingratitude, sans désir de faire du mal, d'avoir une bonne nature, de sentir qu'on les aime... Au fond, je m'exalte sur l'Islam, — et ce que je cherche en eux, ce sont des traits chrétiens. » Mais cette pensée ne survécut pas en lui à l'impression que lui avait causée sa lecture. Il ne cherchait pas en eux des traits chrétiens, il cherchait en eux des traits humains, et rapidement cette évocation d'un christianisme inutile se dissipa dans son esprit.

La vie avec Ram continuait, bien semblable — trop semblable — à ce qu'elle était avant que Ram ne fût à lui. Pas plus qu'avant, Ram ne *commençait* jamais rien. Elle ne se déshabillait jamais, en arrivant, avant qu'il ne l'y eût invitée. Jamais, plus que par le passé, elle ne l'interrogeait sur lui-même : que sais-je, combien de temps il devait rester à Birbatine, s'il avait des frères, des sœurs... Est-ce indifférence? se demandait-il. Dans sa faiblesse d'amant, c'était lui qui le premier, quelquefois, lui parlait de sa vie. Il lui disait que sa mère avait plus d'autorité que son père, que c'était elle qui avait voulu qu'il vînt au Maroc, etc... — sans penser qu'à coup sûr Ram s'en fichait.

D'ailleurs, jamais rien à lui reprocher. Ce n'est pas une façon de parler, il faut le prendre à la lettre : jamais rien à lui reprocher. Jamais un non, jamais une observation, jamais une question : une docilité automatique. Sa ponctualité, sa douceur, sa discrétion (pas de copines !), l'absence chez elle de toute pose, sa façon de tenir sa place, de pouvoir toujours tout ce qu'il lui demandait, et, elle, de ne jamais rien demander, de ne lui causer aucun ennui, ni directement, ni indirectement, de sembler toujours contente (s'il la fixait des yeux un instant, il était rare qu'elle ne se mît pas à sourire)... ah ! certes, elle restait bien celle qu'il avait nommée, dès leur première rencontre, une petite personne « bien élevée » : la compagne idéale pour celui qui veut que la femme lui soit un prétexte à tendresse et à plaisir, mais aussi un élément de paix.

Un jour qu'elle semblait impatiente, il lui dit : « Non, on jouira tout à l'heure. » (Ce ne sont pas des termes éthérés ; mais qu'y puis-je ?) Elle ne connaissait sans doute pas le verbe « jouir » ; elle comprit : « On jouera tout à l'heure, » et elle demandait : « Alors, maintenant, on va jouer ? » Dès lors, l'acte d'amour ne fut plus désigné entre eux que par ce mot enfantin : jouer. Nous avons dit plus haut : chez elle, jamais un non. Jamais ? Si, une fois. Puisque maintenant elle était sa femme,

il ambitionna une nouvelle caresse (voyez-vous ça,
quelles idées il avait, ce lieutenant !) Il prenait
le bout de sa langue dans sa bouche ; ce bout de
langue était froid (la seule chose froide, sans doute,
à cent lieues à la ronde) ; dans sa bouche il se
réchauffait. Il voulut autre chose encore. Elle
répondit : « Non, c'est défendu par Dieu, » et elle
arrêtait sa main, avec douceur, comme un chien,
quand vous mettez la main dans sa gueule pour
le taquiner, repousse votre main gentiment, avec
sa patte ; on était loin des repoussements violents
d'autrefois. Défendu par Dieu ! Dieu classant les
caresses en caresses permises et caresses défendues,
ce n'est donc pas une élucubration européenne !
A la bonne heure, voilà le profit de voyager : on
apprend que le ridicule n'est pas le monopole de
notre chère Europe. La religion intervient d'ailleurs assez souvent dans le plaisir à la musul-
mane. « J' te jure, tu me donnes deux francs de
plus parce que, aujourd'hui, c'est le jour de Dieu »
(vendredi), avait dit Ftoum à Auligny, le soir
sinistre de leur premier rapprochement. Et les
sous-offs racontaient en riant ce trait digne de la
Grèce ancienne, que les trois courtisanes, lorsqu'elles étaient arrivées à Birbatine, leur premier
acte avait été de faire le tour des Zaouias (1),
laissant dans chacune d'elles quelque monnaie,
dont les gosses du ksar, qui les suivaient à distance,
se firent du bien.

Cette petite résistance de Ram ne déplut pas
trop à Auligny. Elle lui rappelait heureusement

(1) Tombeaux de saints musulmans.

que Ram restait capable de s'isoler et de s'opposer. De même, c'est en souriant qu'il découvrit qu'elle lui mentait. Bientôt, il s'aperçut que, chaque fois qu'elle lui mentait, elle faisait précéder son mensonge, en levant un peu la main, d'une formule bizarre : « Mon-Dieu-j'te-jure (1). » Dès lors, il lui devint facile de savoir quand elle mentait. Il ne se disait pas : « Elle ment, » mais « Elle *barbouille* un peu », voulant la sauver à tout prix.

Quant à lui, puisqu'elle ne le questionnait jamais, il n'avait pas à lui mentir. S'il le faisait quelquefois, c'était par luxe.

Également, depuis qu'elle était sa maîtresse — jamais il ne l'avait remarqué avant, comme s'il y avait en elle, depuis lors, une vague notion de la communauté des biens, — elle le friponnait, dans un ordre minuscule : un crayon, une lime à ongles (dans le but de se limer un grain de beauté qu'elle avait pris en grippe), quatre ou cinq sous, jamais davantage. Aucune difficulté, ensuite, pour reconnaître ces peccadilles. C'était toujours si peu de chose, si tranquillement avoué, et il y avait dans ces petits larcins quelque chose de si modeste, de si enfantin, et, si l'on peut dire, de si honnête, qu'Auligny évoquait le manège de la pie qui, sous vos yeux, et voyant bien que vous la regardez, vous vole et continue de vous voler, comme s'il n'y avait rien là que de parfaitement régulier.

---

(1) « Je vous le jure, sur Dieu. » Ram emploie ici le verbe « jurer » dans son sens français. Plus haut, Ftoum, quand elle dit « J'te jure, tu me donnes deux francs de plus », veut dire : « Je t'en prie », impropriété de langage familière aux Arabes.

Ram lui prit aussi un crayon à encre, et vint, la fois suivante, portant sur le dos de la main un artistique dessin fait avec ce crayon. Elle s'endormit en moiteur, la joue posée sur sa main, et au réveil le « tatouillage » s'était imprimé sur sa joue humide... Alors, en lui, soudain, cette source qui crève, ce bouillonnement de tendresse et de mots de tendresse...

Et, de pair avec ses friponneries, toujours son désintéressement profond.

Quelquefois, soudain, il la trouvait si charmante que — assuré malgré tout de lui faire plaisir — il lui disait : « Je te donnerai tant aujourd'hui » (plus que d'habitude). Puis, lorsqu'elle était sur le point de partir, il lui demandait, pour voir si le chiffre l'avait frappée : « Combien donc t'ai-je promis, aujourd'hui? » Mais elle : « Vous donnerez ce que vous voudrez. » Et il arriva qu'Auligny qui, dans l'exaltation des caresses précédant l'acte, lui avait dit : « Je te donnerai cinq francs de plus, » voyant ensuite qu'elle ne les réclamait pas, ne lui donnât que trois francs de plus, une fois son désir satisfait. Qui ne s'écriera : « Quel saligaud ! » Mais non, bien plus souvent, Auligny lui donnait davantage que ce qui était promis. Il reste cependant que ce honteux petit « rabiotage » montre, dans une nature indiscutablement généreuse, la persistance obscure de la loi de la jungle, le réflexe primitif d'abuser de ce qui ne se défend pas, et le côté sordide qui apparaît, à un moment donné, chez presque tous les hommes, même chez ceux qui, par ailleurs, sont prodigues jusqu'à la démence. Et il reste, hélas ! à la honte non pas tant d'Auligny

que de l'espèce humaine, que lorsque la barre finale
fut tirée un jour au-dessous de ce que Ram avait
gagné avec le lieutenant, elle avait gagné beaucoup moins, la pauvre, que si elle avait été une
petite garce, coquette, quinteuse, boudeuse, de
celles qui débitent leur corps morceau par morceau, comme une pièce de boucherie, — demandent toujours dix francs de plus, pour leur retour
en voiture, afin de « ne pas entamer les billets »,
— prennent systématiquement sur *l'ennemi* tout
ce qu'elles peuvent, et si on sort un carnet de
métro : « Tiens, justement, moi qui n'ai plus de
tickets ! » — dévorent des yeux votre portefeuille
toutes les fois que vous le sortez, comme un chien
dévore des yeux un os, — et qui enfin, tandis que
vous vaguez sur les sommets de l'aimable jouissance, à chaque minute demandent un prix un peu
plus fort, de sorte qu'on a l'impression de faire
l'amour avec un taxi.

Le lecteur souhaiterait sans doute, ici, quelques
dialogues, comme on en trouve dans tous les récits
de liaisons amoureuses : ces sortes de bouées reposent le lecteur, qui, nageant de l'une à l'autre,
arrive ainsi au terme d'un roman ennuyeux. Mais
il n'y avait entre Auligny et Ram que des bribes
de dialogue, si rudimentaires, et si insignifiantes,
qu'il est inutile de les rapporter. Et Auligny,
songeant aux scènes sentimentales et aux contro-
verses psychologiques avec ses maîtresses françaises, était content de n'avoir pas à faire la conversation avec elle. Son amour était quelque chose
d'étale, comme ce ciel et comme ce sable, et s'il
lui arrivait d'y souhaiter un peu plus de mouve-

ment, le plus souvent il se réjouissait de ce calme, qui d'ailleurs n'était pas sans tout mouvement. Pendant l'inondation, chaque matin, en allant voir, on trouve que l'eau a gagné quelque part. Tel champ, hier sec, est plein de flaques. Telle rue, où l'on pouvait passer hier, on ne le peut plus. Ainsi Auligny sentait chaque jour une nouvelle partie de son être prise et engagée.

C'est égal, on dira : en voilà, de l'amour ! Soit, ce n'était pas de l'amour. Ram n'occupait pas l'esprit d'Auligny. Il n'était pas jaloux, inquiet, torturé pour un rien. Mais ne valait-il pas mieux que cela n'en fût pas, de l'amour? S'il avait pu « faire quelque chose » pour Ram (et Dieu sait s'il le souhaitait, mais faire quoi?), il eût prodigué son temps, sa peine, son argent. Si elle était tombée malade, il l'eût soignée comme il eût soigné sa sœur ou sa fille. Et par moments il souhaitait presque qu'elle eût la lèpre, ou quelque mal affreux, pour lui montrer, et se montrer à soi-même, ce qu'il saurait être en une telle circonstance. Son sentiment contenait ce qu'il y a de bon dans l'amour, et n'en contenait pas ce qu'il y a de mauvais et de ridicule. Il ne se jetait pas aux pieds de Ram, en se tordant les mains, pour lui offrir sa vie, et quoi encore, comme on fait dans l'amour, — mais il ne se retournait pas non plus contre elle, pour l'insulter, la calomnier, lui vouloir tout le mal possible, quand l'heure d'avant il voulait tout son bien, comme on fait dans l'amour. De l'amour, ce qu'on nomme ainsi, non, il n'en avait pas, mais c'est à son honneur.

Lui-même, certaine nuit, dans une île de réveil

au milieu des ténèbres, il crut découvrir, comme
par une révélation, ce qui faisait la singularité
de son sentiment pour Ram. C'était qu'il se sentait
devant elle ensemble un amant et un père. Elle,
tellement au-dessous de lui. Qu'il pût aimer une
égale, ou une femme qui se prétendait telle, cela
lui semblait difficile, désormais ; et difficile seulement d'aimer une femme qui eût sa taille, qui lui
dépassât l'épaule. Et il croyait comprendre, maintenant, que les Orientaux, plutôt qu'ils n'aiment
la femme, aiment l'enfance. L'enfance est pour eux
un troisième sexe, et c'est ce sexe-là qu'ils aiment.
Ils n'aiment la femme que tant qu'ils sentent en
elle l'enfance : physique, d'où l'extrême jeunesse
des filles aimées et épousées, en pays d'Islam ;
morale, et c'est pourquoi, au foyer, ils lui font
une condition qui est celle de l'enfant.

X

Yahia reçut sa nomination d'instituteur, et quitta Birbatine. Auligny avait appuyé sa demande. Non point qu'il jugeât que Yahia ferait un bon instituteur, mais il n'avait plus besoin de lui, et il le craignait. On admire l'honneur particulier, la solidarité entre eux des hors la loi. Qu'y a-t-il là d'admirable? S'ils se tiennent entre eux, c'est qu'ils se tiennent l'un l'autre. Mais, innocentant jusqu'à l'héroïsme mon complice, quelle soif en même temps qu'il disparaisse à jamais ! Par peur, je ne le trahis pas, et demain je le tuerai, par peur : voilà ce fameux honneur des hors la loi. Proportions gardées, Auligny était content d'être débarrassé d'un homme qui — dépouillons tout lyrisme — lui avait procuré une mineure de moins de quinze ans.

Août s'avança comme un rêve de feu. Les réveils surtout étaient effrayants. Ce n'étaient pas seulement pour Auligny les réveils nauséeux des nerveux : bien qu'il gardât les yeux fermés pour ne pas voir le soleil, il le voyait déjà, de sous ses paupières, éclater sur le monde, sans aube et sans aurore, et il savait qu'il ne fallait pas attendre de répit avant 7 heures du soir, et qu'il y en avait

pour deux mois encore de cela. Son écœurement
en était si fort que parfois, durant de longues
minutes, il se sentait sur le point de vomir. Ah !
Ménage était un saint, qui avait passé deux étés
de suite ici !

Toute la journée, il demeurait étendu sur le lit,
dans la maison Yahia, à dormasser, à rêvasser,
une serviette humide sous la nuque ; son besoin
de s'étendre était tel que, à défaut de lit, il se fût
couché par terre. Son unique vêtement était un
pantalon, alors que les hommes, à cette heure,
avaient godillots, molletières, et tout le barda : en
quoi il montrait peut-être cette tendance à s'abandonner que l'on remarquait aussi chez son père.
Sur le sol chaud dormait la chienne, les yeux cernés
par la fatigue (hein, quel titre de roman ! *La
Chienne aux yeux cernés*). Il n'avait même plus
l'énergie de lire : le soleil lui dévorait le cerveau.
Il avait beau boire à satiété de l'anis algérien
dilué dans beaucoup d'eau, sa bouche restait si
sèche qu'elle en était pâteuse, et qu'il n'arrivait
plus, quand il parlait, à articuler ni à se faire comprendre aisément. Pourtant il fallait bien, le matin,
passer vingt minutes à son courrier, en posant sur
le papier blanc les ombres vertes nées de ses yeux
éblouis, en faisant valser les feuillets qui se col-
laient à ses avant-bras mouillés de sueur. Il finit
par se rendre compte que la chaleur était moins
insupportable quand il avait l'esprit occupé. « Il
faut chanter pour avoir moins chaud, » lui avait
dit Otero. Et Auligny de chantonner : « Lalala !
Lalalala ! » et de marcher, et de frapper du pied,
et en effet cela le remontait. Tout valait mieux

que ces longues prostrations, à mariner et à se tordre dans sa sueur, et telles qu'à certains moments, s'il avait entendu crier : « Un djich attaque ! », il n'est pas sûr qu'il eût esquissé un mouvement : ainsi l'homme qui a le mal de mer sait qu'il ne fera rien pour se sauver si le bateau sombre. Et cependant, malgré cela, c'était toujours à son lit qu'il revenait.

Le vent de sable se levait à midi. Une odeur de fumée se répandait ; l'air devenait comme gluant. Dans l'atmosphère opaque et jaune, bouchée à quelques mètres, les hommes, portant des lunettes vertes (du moins les richards d'entre eux) sur leurs visages pâlis par le sable, évoquaient un peu des scaphandriers dans le vague sous-marin. Les chevaux pleuraient, comme ceux de l'*Iliade*. Le sable était partout, dans les poches, dans les draps, dans les oreilles, sous les dents, faisant du savon une râpe, embourbant la plume du stylo. Et on l'entendait qui coulait, là-bas, le long des dunes, avec un bruissement semblable à celui de la mousse de champagne. Instantanément, la température montait de plusieurs degrés : la sensation était celle qu'aurait un homme, sur le quai d'une gare, quand soudain une locomotive s'arrête à sa hauteur, et il reçoit une haleine de four. Les narines étaient si surprises qu'on éternuait, comme sous une bouffée de froid, le ventre si surpris qu'on avait un dérangement d'entrailles, comme sous une bouffée de froid. On sentait la brûlure posée sur le dos de ses mains ; posée sur ses yeux, sous les paupières ; posée sur la peau de son crâne, sous les cheveux. On lâchait avec un cri tel objet de

métal que cinq minutes plus tôt on maniait sans
y prendre garde. Il y avait dans l'air une telle
densité de chaleur, qu'un couteau, semblait-il, y
fût resté fiché, comme dans du beurre. Les hommes
eux-mêmes, habitués pourtant, faisaient « bo...
bo... bo... », ce qui exprime chez l'Arabe une
surprise à nuance de respect. Auligny se disait
que la limite de la résistance humaine était
atteinte et que, si une nouvelle élévation se pro-
duisait par là-dessus, il n'y aurait plus qu'à
s'étendre et à mourir.

La chaleur ne faiblissait un peu que vers
7 heures du soir, et Ram, à cette heure, devant
préparer le repas des siens, c'est vers 8 heures
qu'ils se retrouvaient. Moins souvent qu'autrefois.
Au début, ils s'étaient vus presque tous les jours,
puis le rythme était devenu « un jour oui, un jour
non », comme elle disait, pour redevenir quotidien
après qu'elle se fût donnée. Maintenant, de nouveau, leurs rencontres s'espaçaient d'un, deux,
trois jours. Auligny ne manquait jamais de s'excuser auprès d'elle s'il ne la rappelait pas plus tôt,
de lui donner des raisons supposées, et elle luttait
de politesse : « Ça fait rien. » Quand il lui faisait
ces petites menteries, il avait l'impression de com-
mettre une mauvaise action.

La chaleur, en effet, diminuait encore le plaisir
qu'il recevait des caresses ; on eût dit que ses nerfs
avaient été sectionnés au couteau. Ram couchée,
la sueur coulait dans les plis de son cou, comme des
ruisseaux dans leurs lits ; stagnait sous ses seins
où on la trouvait toujours en les soulevant, comme
on trouve de l'humidité sous une pierre quand on

la déplace. Plus que jamais, ce qui lui était le meilleur, c'était de rester immobile étendu à côté d'elle. Sitôt que leurs corps se touchaient, la sueur les inondait tous deux. S'il posait la main sur la cuisse de Ram, la sueur naissait à l'emplacement du contact, comme du sable de la plage, à l'endroit où vous y appuyez la main, sort un peu d'eau de mer. Si elle avait la nuque dans la saignée de son bras, il retirait son bras trempé à la saignée. Dans les mouvements délicieux, leurs peaux inondées faisaient : cloc... cloc... cloc... à chaque spasme qui les décollait. Toute cette sueur inhumaine ne pouvait que déplaire à Ram, pensait-il, comme son ardeur à lui en était rabattue. Ajoutez les mouches et de petits boutons qui étaient venus à Auligny, tant par la mauvaise nourriture que par la sueur, boutons qui le démangeaient fort, et vous imaginerez ces deux êtres confondant leurs ruissellements, tandis qu'Auligny, qu'on croyait au sommet de l'empyrée, on le voit soudain, poussant un juron, dégager un bras pour se donner une claque sur la cuisse (cette mouche !...) ou pour se gratter frénétiquement le derrière. Vous aurez ainsi une image non plus poétique, mais véridique, de l'amour saharien.

Il se rendit compte un jour qu'elle entremêlait les *tu* aux *vous*, et qu'elle devait le faire depuis longtemps, sans qu'il y eût pris garde, — lui qui avait tant désiré qu'elle le tutoyât ! Il n'en eut pas de plaisir. Il crut voir là non un signe d'affection, mais un simple relâchement, comme chez une femme de chambre qui, familiarisée après quelque temps avec sa maîtresse, cesserait de lui parler à la troisième personne.

Ce n'étaient pas seulement la chaleur, et l'affai-
blissement physique d'Auligny, qui ralentissaient
son amour. Si simple, si fidèle, Ram offrait peu
de matière sur laquelle l'esprit pût travailler. Le
plaisir de Ram n'avait plus en Auligny la même
irradiation qu'il y avait autrefois ; il en était
trop sûr ; il y était habitué. Le jour où il lui demanda en souriant : « Alors, ça ne te fait plus mal ? »,
et où elle fit non de l'index, à la mode arabe, il
n'en ressentit pas de joie. Mais, surtout, il l'avait
dépassée pour entrer dans un monde qui, né d'elle,
n'était plus elle. Elle avait été le bateau qui l'avait
transporté sur la rive, et maintenant, allant de
l'avant dans ces terres vierges, il lui fallait se
retourner pour l'apercevoir. Plus obscurément, il
regrettait que sa conception nouvelle des choses,
si lourde pour lui de conséquences, ne fût pas sortie
de sa conscience, mais y eût été *apportée*, sortie
d'abord de sa chair. Ram lui rappelait cette origine impure de dispositions dont la pureté le
flattait, et c'est pourquoi il la repoussait un peu
dans l'ombre.

Les jours où Auligny ne rencontrait pas Ram,
au crépuscule il se rendait à la palmeraie. Dans
toute la zone comprise entre L... et Tamghist, un
règlement rigoureux interdisait de se trouver isolé
à la nuit venue. Mais le lieutenant, si sévère à son
arrivée pour les imprudences des officiers et des
hommes, était maintenant tout pareil à eux sur ce
chapitre-là : comme eux tous, il préférait risquer
à se gêner. Il se contentait d'emmener avec lui
un mokhazni, et de veiller à ce que les chargeurs

fussent en ordre. Et, fort calme, ayant dit une fois pour toutes : « A la grâce de Dieu, » il s'amusait de l'inquiétude mal dissimulée du mokhazni, car l'Arabe, toujours névropathe, se démoralise dans les ténèbres. Cette heure, pour son ordonnance ou tel autre, ce n'était pas seulement celle du coup de fusil, c'était celle où le djinn rôde, saute sur ceux qui viennent chercher de l'eau au puits, ou faire boire les animaux à l'oued. Auligny, qui tremblait et bafouillait devant ses chefs, qui n'exprimait pas ses convictions de crainte d'être mal noté, ou seulement de crainte d'être contredit avec brusquerie, était physiquement courageux, sans même s'en douter. Napoléon a dit des Français qu'ils feraient bien de remplacer leur vanité par un peu d'orgueil. On peut dire aussi qu'ils remplaceraient avec avantage une partie de leur courage physique — dont ils ont à revendre, dont ils ont presque trop, se faisant tuer sans cesse *pour rien*, — par un peu plus de courage moral.

Rien n'était plus pisseux que l'oasis, de jour, à cette époque de l'année, plus empoussiéré (toute pâle de poussière, alors qu'au printemps elle était d'un vert noir), plus miteux, plus lépreux, plus repoussant, plus catastrophique que ce lieu de délices. Mais enfin c'était encore mieux que l'étendue abominable qui l'encerclait à perte de vue, et un certain charme, fait surtout de ce contraste, en émanait à l'heure du soir. Sitôt qu'Auligny y pénétrait, ses yeux, qui depuis douze heures clignaient contre le soleil, s'agrandissaient, s'apaisaient, pouvaient enfin fixer les objets, distinguer les demi-teintes. Une eau se pressait dans

le plus grand silence, des poissons bougeaient, de
la même couleur pâle que le lit de la seguia. Cette
seguia était enjambée par un tronc d'arbre creux,
où coulait une autre eau, moins vive. D'un puits,
des oiseaux s'envolaient à l'approche d'Auligny,
comme des paroles de la bouche d'un prophétesse.
Les grenouilles, toujours très infatuées d'avoir été
une des plaies d'Égypte, se chantaient leurs
louanges à la tombée de la nuit, ce qui leur permettait de s'endormir satisfaites. Au bord d'une
aiguade, un crapaud immobile — mais sa gorge
bat d'une façon affreuse — regardait le lieutenant
avec une gravité comique. Auligny pouvait mettre
le pied à un centimètre de lui sans le tirer de son
angoisse pétrifiée ; il fallait qu'il y eût contact pour
qu'il bondît.

Il y avait des libellules d'un rose intense, ou d'un
azur intense ; des lézards, pâles comme la pierre,
avec la queue orange ; d'autres, verts, à la gorge
d'un bleu exquis ; d'autres encore, plus rares, striés
noir et jaune, comme le tigre. Des souffles, charmants comme des femmes, émouvaient les palmes
les plus hautes. Et cette palmeraie, qui d'abord
avait été pour le jeune homme une banlieue déce-
vante, ensuite un décor d'oaristys, ensuite un lieu
où la rencontre des indigènes faisait vibrer sa sensibilité, maintenant lui était autre chose encore :
elle le délivrait du poids de sa conscience. Maintenant la nature lui murmurait qu'il se débattait
contre des fantômes, et qu'il n'y avait qu'à jouir
d'elle. Ne suffisait-elle pas? Les questions qui l'ob-
sédaient s'évanouissaient comme des cauchemars
au premier clair de l'aube ; il ne les retrouvait plus ;

la terre redevenait innocente. Cette douceur des arbres et des eaux lui conseillait la dérobade à tout devoir, travaillait à dissocier en lui le concept de patrie aussi bien que celui de charité et celui de justice. Et, sans doute, cette palmeraie, s'il y était, et y avait du plaisir, c'était que sa patrie l'avait prise, et flanquée d'un poste fortifié. Mais le monde était plein de lieux exquis qu'on pouvait respirer sans questions et sans remords. Un officier de marine lui avait raconté l'histoire de ce marin français déserteur qui s'était établi dans une île du Pacifique, et y menait une vie paisible et naturelle, heureux et sans faire de mal à personne. C'était un déserteur, et cependant sa vie était celle d'un honnête homme et d'un homme heureux. Quand Auligny, rentré au bordj sous une lune de chlore, trouvait dans son courrier des journaux et des revues, les problèmes qu'on y posait étaient pour lui déconsidérés. Une existence, bonne pour soi et bonne pour les autres, pouvait s'écouler sans qu'on eût notion de ce qu'ils signifiaient.

Avant qu'il se couchât, il y avait un moment qui était pour lui le meilleur de la journée : celui où il brûlait les mouches. Le supplice qu'avaient été ces mouches, tout le long du jour, nous ne le décrirons pas, parce que cela se prête trop aisément à un morceau de littérature ; disons d'un mot qu'il était atroce. Mais le soir, au retour, Auligny surprenait les mouches en étendues noires, endormies sur les murs de sa chambre. Alors, avec une lenteur voluptueuse, il passait au-dessous d'elles la flamme d'une bougie. A mesure, le mur noir de mouches devenait blanc, on entendait le bruisse-

ment adorable des mouches qui grillaient en tombant, et Auligny, ce grand tendre, avait alors le
rictus satanique qu'a une « vedette de l'écran »
quand elle interprète le rôle de César Borgia.

Il dormait, nu, sur le toit du bordj. Deux heures
d'insomnie avant de s'endormir. Et des réveils,
encore, la nuit, où il se grattait frénétiquement,
dans une demi-inconscience, comme une bête
obsédée et triste. Les hommes dormaient dehors,
dans la cour du bordj, la figure emmitouflée, par
ces 35 degrés nocturnes, pour que leur âme ne les
quittât pas par la bouche. Dans le ksar, on dormait sur les terrasses, sous des branchages de
palmes recouverts d'étoffes, qui vous protégeaient
des méchancetés de la lune.

On n'en aurait pas fini avec les mouches si on
omettait de dire que Mme Auligny avait envoyé
à son fils un ustensile à long manche, avec lequel
on était censé tuer les mouches en tapant dessus,
ustensile qui avait des titres à devenir le symbole
du progrès industriel dans ce qu'il a de plus ridicule : cet ustensile pouvait peut-être tuer les
mouches dans les logis où l'on en voit dix ou douze
par an. Il est vrai que le lieutenant Ducrocq tuait
les mouches à coups de revolver ; mais pour lui
c'était un dérivatif : il n'arrivait pas à accrocher
une affaire.

D'ailleurs, tout ce que Mme Auligny envoyait à
Lucien — tout, sans exception — était inutilisable.
Il avait beau la supplier, dans ses lettres, de ne
lui envoyer que ce qu'il demandait, le vieux pli
de la bonne mère restait le plus fort : elle voulait
que ses « attentions » fussent des « surprises ». Et

le lieutenant voyait arriver chaque quinzaine
quelque objet qui avait coûté de l'argent, qu'on
avait annoncé, empaqueté avec art, recommandé,
dont vingt employés de poste avaient pris soin
entre Paris et Birbatine, comme si c'était le
trésor de la reine de Saba, et que le destinataire
regardait à peine, assuré, avant de l'avoir vu,
qu'il ne lui servirait à rien et ne lui ferait nul
plaisir. Après le tue-mouches, après le voile vert
à mettre autour de son casque, il y avait eu l'objectif photographique perfectionné, mais qui ne
put fonctionner dans la lumière saharienne, la
super-colle perfectionnée, mais qui arriva dure
comme pierre, l'alcool solidifié perfectionné, mais
qui arriva en liquéfaction, enfin les diverses sortes
de niaiseries avec lesquelles on pipe la catégorie
des gens qui croient qu'une chose est meilleure,
parce qu'elle est nouvelle, tout cela plus ou moins
américain, à moins que le drapeau français, lui
servant de marque de fabrique, n'indiquât que
c'était un article allemand. Et, comme il répugnait
à Auligny de jeter des objets auxquels sa mère
avait attaché tant de pensées touchantes, il les
fourrait ici et là, et pendant des semaines et des
mois il retrouvait à tout bout de champ, dans la
cantine, dans le tiroir, dans le placard, l'objectif
photographique perfectionné, et la colle perfectionnée, implacables témoins de cette vérité forte,
que si l'amour est aveugle, l'amour maternel n'en
doit pas être excepté. Mme Auligny bourrait son
fils de cadeaux dont il n'avait que faire, comme,
toute sa vie, elle l'avait bourré d'idées et de sentiments qui ne lui étaient pas adaptés. Les « divi-

nations » de l'amour maternel sont de ces lois dont on dit qu'elles sont vérifiées par leurs exceptions, ce qui signifie qu'une fois sur deux elles ne fonctionnent pas, et ne sont donc nullement des lois, mais des phantasmes de l'esprit vulgaire, qui les tient pour existants parce qu'il les a proclamés.

Auligny jugeait depuis longtemps qu'il devait une visite de politesse à Regragui. Il la redoutait : sa situation était fausse. Il voulait surtout que Ram n'y assistât pas. Il craignait que l'attitude de Ram ne fût pas tout à fait ce qu'elle devait être, et il répugnait, en outre, à lui montrer comment il était quand il jouait la comédie. Car enfin, cela devrait se passer comme s'il n'était pas bien avec la petite. La fiction que Ram était vierge était accompagnée de la fiction qu'il n'y avait rien entre elle et lui, la fiction complémentaire — dont lui et Ram n'avaient pas même pris la peine de déguiser l'absurdité — étant que, si elle venait habituellement chez Auligny, c'était pour y laver son linge.

Regragui fit traverser au lieutenant une courelle riche en poules. Les trous des murs étaient bouchés avec des tampons de cheveux coupés et de poils de barbe, barbe étant un euphémisme. L'escalier pour monter à la terrasse était un tronc de palmier, où des encoches tenaient lieu de marches. Auligny, se courbant, entra dans une petite pièce sombre, et s'assit par terre en face du maître de logis.

Regragui avait un visage dur et chagrin. Si l'on

peut user de cette expression pour quelqu'un qui
n'avait jamais rien fait, ni tenté de rien faire, on
dira qu'il avait le visage d'un homme qui n'a pas
réussi. L'homme du désert parut extrêmement
lointain à Auligny ; oui, vraiment, de la race des
coupeurs de têtes. Sans doute, le lieutenant en
avait vu des milliers de ce modèle-là, mais le caractère farouche de Regragui le saisissait, parce qu'il
songeait à ce qu'il y avait en Ram d'humain
et de rapproché. Ses bras, secs comme des allu-
mettes, ses jambes grêles et parcheminées sortaient de sous son burnous comme des serpents
de sous la couverture du charmeur. Autour de sa
tête rasée était enroulée une corde : l'anneau
autour de Saturne. Si c'était avec cela qu'il se
préservait des insolations, il fallait qu'il eût la
boule solide.

La demeure était presque propre, et respirait
même une certaine aisance. Il y avait à terre des
couvertures de laine, des nattes, des peaux de
mouton, avec une espèce de grâce dans l'arrange-
ment, qui sentait le toucher féminin. Les seuls
objets étaient des vaisselles, des plateaux à couscous, un métier à tisser, des couffins de dattes et
puis des pastèques qui séchaient. Auligny songeait aux visites qu'il faisait, jadis, aux parents
de ses petites amies. Et, comme alors, il souriait
intérieurement, jugeant que la galanterie a du
bon pour les vieillards, quand elle se marie à
l'amour filial.

Le lieutenant était surpris et vexé que Regragui
ne semblât pas plus sensible à l'honneur qu'il lui
faisait en allant le voir. Le vieux, regardant de

côté, se plaignait de tout : à parler franc, monsieur
n'était pas aimable. De sa fille il ne dit qu'un
mot : il la loua de savoir bien faire le couscous.
Il loua davantage le petit Bou Djemaa, son frère
cadet, parce qu'il gagnait cinq sous par jour à
travailler dans un jardin. Et, comme Auligny
souriait : « Beaucoup n'en gagnent pas autant, »
dit Regragui avec un air piqué. Auligny, qui
aimait plaire, et était tout désemparé quand il
sentait qu'il ne plaisait pas, se paralysait de
plus en plus à mesure que les silences se multi-
pliaient et s'amplifiaient. Au milieu de chaque
silence, le vieux, pour meubler, disait « *Baraka
allahou fik!* » (Dieu te bénisse !) comme nous
autres, dans une lettre insolente, nous glissons à
chaque paragraphe : « Mon cher ami ». En vain
Auligny songeait-il qu'il était trop sot, étant venu
pour faire sa cour au bonhomme, de n'aboutir
qu'à des roidissements ; il ne parvenait plus à
dissimuler la froideur qui montait en lui, glaçait
sa voix et son visage. Il sortit de chez le mangeur
de sauterelles comme on sort de chez le ministre,
quand pour vous faire déguerpir il s'est levé le
premier.

XI

Cet après-midi-là, quand Auligny eut fait son plein de caresses (Ram avait admiré surtout les poils de sa poitrine : « Tu en as, de l'herbe ! » ou encore : « Tu es comme une chèvre... »), Ram demeura nue, selon son habitude après l'amour, dorée et brillante comme est parfois la croûte du pain frais, éclairante comme ces dattes du Djerid appelées *deglet-nour* — « dattes-lumière » — à cause de la transparence de leur chair. Il la regarda longtemps, si bien qu'elle se mit à sourire, et il lui dit :

— J'ai des nouvelles graves à t'apprendre.

— Pourquoi?

— Eh bien ! comme ça !

— Aouah !

— Avant la fin de l'année — pas ici, ajouta-t-il prudemment, — les troupes françaises avanceront. Je devrais prendre part à cette avance. Eh bien ! je refuserai, pour ne pas tuer des Arabes (1).

— Quand c'est, la fin de l'année?

(1) L'auteur, comme il a été dit, a fait pour cette édition quelques raccords propres à donner de l'unité à un récit qui, sous sa forme présente, n'en demeure pas moins ouvragé en pièces rapportées. Dans les pages qui ont sauté entre le chapitre précédent et celui-ci, on voyait Auligny, averti qu'il

— Dans un peu plus de trois mois.

— Trois mois ! dit-elle en hochant la tête d'un air entendu, qui eût suffi à donner à Auligny, s'il ne l'avait eue déjà, la conviction qu'elle n'avait nulle idée de ce qu'est un mois.

Et un silence.

Auligny n'en attendait pas beaucoup plus. Quand même, il voulait la forcer à dire une parole, n'importe laquelle.

— Tu comprends bien. Je devais faire le baroud. J'aurais eu la croix. J'aurais été nommé capitaine. *Kébir!* Et je refuse parce que je ne veux pas tuer ou faire tuer des Arabes.

— Capitaine, c'est pas tant que commandant?

— Non, pas tant.

— Et lieutenant-colonel, c'est plus que colonel?

— Non, moins.

— Vous connaissez Hadj Guennour? Il est le colonel des Français. C'est le champion des officiers, y en a pas plus que lui. Il a trois galons, je les ai comptés : un blanc et deux jaunes.

Auligny n'avait pas de déception. Il savait que les scènes raciniennes, avec Ram, n'étaient pas faciles à mettre sur pied. Mais il s'entêta, par curiosité pure.

— Moi, Français, parce que j'aime les Arabes, je fais ce que les Arabes eux-mêmes ne font pas : je ne veux pas les combattre. Comment expliques-

devrait partir bientôt en opérations contre les dissidents, se résoudre, à la suite d'une longue crise morale, à demander d'être rappelé, pour raisons de santé, dans une ville de « l'intérieur » : ainsi il n'aurait pas à faire tuer des Arabes. Le lieutenant projette d'emmener Ram avec lui.

tu cela, toi, que vous autres, Arabes, vous puissiez venir de bon cœur avec les Français pour combattre d'autres Arabes?

— Ils n'ont qu'à se soumettre, les Arabes! Pourquoi ils résistent? Ils savent bien qu'un jour ou l'autre il faudra qu'ils se soumettent *bessif* (par force). Allez, si j'étais le général des Français, moi, je ferais vider tous les bordjs pour avoir une grande armée, et, s'ils ne veulent pas se battre, à tous on leur coupe la tête, et c'est fini.

« Je n'osais en espérer tant ! ricanait Auligny, en lui-même. Bah ! c'est une enfant. Oui, mais ils sont tous des enfants. Alors?... »

Il pouvait bien se dire qu'il n'avait pas de déception : elle avait éteint en lui quelque chose. Une heure plus tôt, cela se fût guéri — pour un temps — dans les caresses. A présent il était satisfait, et les caresses lui eussent répugné, comme cela vous répugne de manger lorsqu'on est rassasié. *Hamdoullah!*

Elle bâilla, fit craquer ses doigts (c'était le lieutenant qui lui avait appris à faire craquer ses doigts), demanda : « Quelle heure est-il? » Puis, se reprenant, comme une institutrice qui a omis de faire une *liaison :* « Quelle heure est-elle? », enfin s'immobilisa de nouveau sur le lit, en personne qui se résigne.

Pour la première fois, Auligny mesura les tracas de toutes sortes que cela lui causerait d'emmener Ram, et il se demanda si cela était bien sage. En même temps, qu'il l'aimât moins qu'autrefois, il jugeait que cela aussi était quelque chose qu'il fallait réparer.

— Si je vais à Rabat, à Casablanca ou à Fez, crois-tu que ton père te laissera venir avec moi?

— Mon père, il me fait ch…, dit-elle de sa voix lente, posée, et comme un peu embourbée. Peut-être pensait-elle que c'était du loyalisme d'employer les mots orduriers recueillis du civilisateur, comme les « grands chefs » arabes croient du loyalisme de s'enivrer dans la compagnie des Français.

— Eh bien! le moment est venu d'en parler à ton père. Dis-lui, sans plus, sans dire pour quelle raison : « Le lieutenant Oulini a à te parler, » et apporte-le demain ici.

(*Apporte-le* en manière de plaisanterie, parce que les Arabes emploient toujours *apporter* pour *amener*.)

— Ça va.

Il lui disait qu'il refusait des honneurs plutôt que de risquer de faire tuer des Arabes : elle ne bougeait pas. Il lui apprenait qu'il allait partir : elle ne bougeait pas. Il lui apprenait qu'il souhaitait de l'emmener avec lui, il lui donnait cette preuve de profond attachement : elle ne bougeait pas.

— A Fez, il paraît que les automobiles ne peuvent pas entrer dans la ville.

— Qui t'a dit cela?

— Un vieux, qui a travaillé à Fez.

Ce n'était pas « un vieux », c'était Auligny qui le lui avait dit, deux ou trois jours plus tôt. Souvent elle lui apprenait ainsi des choses qu'il lui avait apprises l'avant-veille, leur prêtant toujours une origine qui n'était pas la vraie.

Mais quelle gentillesse dans sa façon de tendre

son visage, sur le seuil, pour qu'il la baise, comme
fait une fille à son père ! Et quelle nuance d'étonnement (de déception?) si lui, qui croit qu'on les a
vus, il la fait sortir à la va-vite, sans la baiser.
Pourtant, l'instant d'après, il se demande si, dans
ce geste rituel de hausser le visage au moment du
départ, il n'y a pas quelque chose d'analogue au
tour qu'exécute un petit chien dressé...

Si un homme intelligent ne peut croire à fond
en quoi que ce soit, parce que toujours il voit les
raisons qui le contredisent, qui existent toujours,
et sont toujours excellentes, un homme non intelligent, qui croit, a lui aussi ses heures de doute. Il
est probable qu'un saint même, le mal-fondé de sa
charité tantôt le soulève et tantôt le rabat. Mais,
cet homme qui a cru et qui doute, la masse de ce
qu'il a cru est derrière lui qui le pousse, il faut
avancer en aveugle, renoncer toujours davantage
à l'emploi de son esprit, passer le fixateur sur un
moment fugitif d'une continuelle mobilité. Ainsi
le veut le monde, et en conséquence l'esprit
moyen, sans probité et sans courage, qui veut ce
que veut le monde. Et l'homme-mensonge succède
à l'homme-foi ; on dirait même qu'il en sort, qu'il
en est un produit naturel. Les choses se passèrent
autrement pour Auligny. Il avait cru. Puis il lui
venait un doute. Eh bien ! cette pensée que son
sacrifice était entièrement inutile, inutile quant
à Ram, qui ne le comprenait pas, inutile quant
aux indigènes, auxquels il ne s'adaptait pas,
l'exalta. Il vit l'absurde, et le prit pour le bien :
morale de l'honneur et morale chrétienne, on

l'avait élevé dans cela. Quand il fut arrivé à cette
altitude, où son acte lui apparut infiniment pur
et perdu, et d'autant plus pur qu'il était plus perdu,
sa hauteur lui donna comme un vertige, et ce fut
dans ce transport qu'il décrocha le récepteur du
téléphone et appela Tamghist. A Tamghist, il
demanda le médecin-major du poste, et le pria
de s'arrêter à Birbatine avec le prochain convoi
qu'il prendrait. Il était décidé à obtenir de lui un
certificat de mauvaise santé.

Le lendemain, à l'heure prévue, Ram vint seule.
— Et ton père?
— Il est au jardin.
— Sapristi, quand même, je lui avais fait dire
de venir !
Auligny n'est pas content. Un indigène qui se
permet de ne pas obéir !
— Mais enfin, tu lui avais bien dit que je l'at-
tendais aujourd'hui avec toi?
Elle soulève les épaules.
— Eh ! oui...
Sans doute, Regragui a des circonstances atté-
nuantes. Septembre, c'est la récolte des dattes,
l'analogue de la moisson en Europe, un « coup de
feu » pour l'homme des palmeraies (un coup de
feu au ralenti, bien entendu, puisque indigène).
Et puis, Dieu sait ce que Ram a pu dire au vieux
crocodile !
— Écoute, il faut que cette question soit réglée.
Tu m'as bien bien dit que, toi, tu étais prête à
m'accompagner dans une ville du Nord.
— Bien sûr.

— Alors, dis à ton père qu'il vienne demain, ici, à cette heure, et que je lui donnerai quelque chose pour sa peine. Mais je te préviens : cette fois, s'il ne vient pas, je me fâcherai.

— Ça va.

Auligny a-t-il bien le droit de dire cela? Soutenir, somme toute, les désirs de l'amant avec les menaces du chef de poste, ne sont-ce pas là, un peu, les procédés des *réalistes?* Mais, précisément, c'est qu'Auligny, à cette heure, est dans le réel, et qu'il y est en passionné...

On ne lit rien sur le visage de Ram, doucement lustré et poli comme un bois brun très ancien, comme ces masques de bois des divinités égyptiennes, dont un lieu commun distingué veut qu'elles aient « un secret »...

Et le lendemain, de nouveau, Ram vint, sans son père.

— Il est au jardin. Il dit si vous voulez allez le voir.

Quelle impudence! Par deux fois se refuser à venir, et répondre, comme un pacha, que c'est au chef de poste à se déranger! Incroyable! Mais qu'y faire?

Auligny alla le soir à la case. Ram était là, et Bou Djemaa.

— Salamalikoum!

— Asselamah! Voici. Je vais partir pour une ville de la côte. Je veux savoir si tu me laisses emmener Rahma, — pour laver le linge. Comme je ne veux pas t'en priver trop longtemps, je te dis : pour une période de trois mois. Et, comme elle te manquera, je t'offre cinq cents francs : cadeau.

Quel malappris, cet Auligny ! Aller droit au fait !
En faire un résumé intelligible ! Regragui n'est
pas long à le ramener aux convenances.

— Assieds-toi. Veux-tu du café? Rahma, pré-
pare le café. Je n'ai pas été chez toi parce que
j'étais aux dattes. Grand travail, en ce moment,
grand ! grand !

Il se mit à parler dattes. Jamais il ne regardait
en face Auligny. Les « femmes du coq » (ainsi les
appelait Ram), perchées pour la nuit dans la pièce,
sortaient leur tête de sous l'aile et considéraient
le Roumi avec un *coooo*... offensé, puis lâchaient
une crotte, d'émotion. Les poussins s'étaient dé-
vergondés, et piaillaient sans arrêt. Toutes les
fois qu'Auligny portait le regard vers Bou Djemaa,
celui-ci détournait la tête. Auligny se sentait pour
lui de la curiosité. Ram touchait beaucoup Auligny
quand elle lui parlait de Bou Djemaa. Elle disait
toujours de lui : « le pauvre, » comme une Méri-
dionale. « Il ne dit jamais rien, le pauvre. Il marche
toujours les yeux baissés. Tu lui donnes deux sous,
il devient fou. » Quand elle se mettait à parler de
Bou Djemaa, Auligny ne pouvait s'empêcher de
lui donner un franc de plus, pour qu'elle fît quelque
chose en faveur de Bou Djemaa, bien que convaincu, naturellement, qu'elle garderait la pièce
pour elle.

Après quelque temps, Auligny, qui perdait patience, posa nettement, de nouveau, la question
du départ de Ram.

— Elle est ta fille, dit Regragui. Tu fais ce que
tu veux. C'est Dieu qui nous a mis sur ton chemin.

Auligny fut bouleversé par cette parole. L'idée ne l'effleura pas que si c'était Dieu, et non Yahia, qui lui avait fait connaître Ram, le Créateur... eh bien !... Il aimait entendre les Arabes lui parler de leur dieu sans le différencier du sien. Un mendiant marocain de Rabat qui, en français, lui avait demandé la charité « pour l'amour de Dieu », son ordonnance lui disant : « Dieu vous garde » quand le lieutenant partait seul en promenade, lui rappelaient le mot du prophète : « Vous et nous, nous servons le même Dieu. » Et cette communauté, en un objet si suprême, lui faisait chaud au cœur.

— C'est Dieu aussi qui veut que je l'emmène, dit-il, entrant tout à fait dans ce point de vue singulier. Et il renouvela ses propositions, en les précisant.

— C'est toi le chef, dit Regragui. C'est toi qui commandes, nous qui obéissons. Voilà.

Tout ce temps, il tournait entre ses doigts, tel une pièce très importante, et il regardait à l'envers, comme eût fait un singe, un petit chiffon de papier qu'il avait sorti d'une vieille sacoche. Là-dessus, dix mois plus tôt, à la demande de Ram, Auligny avait écrit son nom et l'indication de son régiment.

Regragui souhaitait seulement que Ram, du lieu où Auligny l'emmènerait, revînt tous les quinze jours passer quarante-huit heures à la maison. On lui démontra que cela n'était pas facile à réaliser.

Auligny prit congé. Ni Regragui ni Ram ne le raccompagnèrent à la porte. Bou Djemaa, seul, lui montra le chemin. Un violent flot de sang vint au visage du petit garçon quand Auligny lui adressa quelques bonnes paroles.

Auligny partit avec un léger désappointement, le même qu'il avait eu quand Yahia lui avait annoncé que la chose était faite : celui de n'avoir eu qu'à enfoncer une porte ouverte. Malgré tout, ses sentiments pour Regragui restaient courts. Il ne lui pardonnait pas, par exemple, d'avoir allumé une cigarette sans lui en offrir, et de lui avoir parlé en lui envoyant la fumée au nez. Ni de ne l'avoir pas raccompagné. Non, franchement, ce vieux n'était pas respectueux.

Le surlendemain, à l'heure dite, Ram ne vint pas. C'était la première fois qu'elle manquait à un rendez-vous, — son refus de venir voir Guiscart ne pouvant compter. Auligny en ressentit une indignation moins d'amant que de patron, le genre d'indignation qu'avait sa mère quand une bonniche rendait son tablier. Tous ces gens-là, avec tout leur catholicisme, sont toujours stupéfaits et furieux quand ils s'aperçoivent qu'un « inférieur » est une personne humaine. Mme de Guiscart, la mère du chevalier, entrant un jour dans la chambre d'une servante et trouvant celle-ci en train d'écrire une lettre, redescendit pleine d'éclats et d'ironie à fond d'aigreur : « Ça écrit !... » ; voyant un nouveau valet de chambre arriver en taxi avec une forte malle : « Ça prend des taxis !... » (Voulait-elle qu'il vînt portant la malle sur son dos?) Ram n'*obéissant* pas, Auligny ne peut s'empêcher de bondir. Il ne le dit pas, mais il pense : « Ça se permet d'avoir une volonté ! »

Il alla chez Regragui : la case était fermée. Il

alla à la palmeraie. Toute la famille était au travail. Combien ce que nous aimons est léger et allègre, quand cela n'est pas en notre compagnie ! Jamais il n'avait vu à Ram cet enjouement dans la liberté. A chacun il dit un petit mot. A elle : « Viens ce soir après dîner. » Elle fit un geste de la main, signifiant : « Peut-être que oui, peut-être que non. » Quel peu d'empressement ! A n'en pas douter, depuis le jour où il lui avait parlé de l'emmener, Ram était entrée en dissidence.

Il l'attendit, certain qu'elle ne viendrait pas. Elle vint, et s'assit, comme d'habitude, non sur la chaise, mais sur la cantine ; les chats, eux aussi, ont leurs préférences : ils raffolent de s'asseoir sur du papier de journal.

— Au moins, c'est bien sûr, que tu m'accompagneras ? Toi ou ton père, vous n'allez pas changer d'idée ?

— Est-ce que je vous ai jamais manqué de parole ? L'autre jour, après que vous êtes parti, mon père m'a dit : « Alors, Rahma, tu veux me laisser seul ? » Et il s'est mis à pleurer. Mais ensuite il m'a dit : « Quand tu reviendras de la ville, tu me rapporteras des espadrilles. » (« Excellent ! » pensa Auligny.) Seulement, à savoir si mon neveu voudra.

(Elle battit rapidement des paupières en disant cela.)

— Allons, bon ! Qu'est-ce que c'est que cette histoire-là ? Ton neveu ! Qu'est-ce que c'est que ça, ton neveu ?

— Mon neveu à moi ?

— Dame ! C'est toi qui me parles d'un neveu...

Il se demandait comment le neveu de Ram,
qui logiquement devait avoir cinq ou six ans, pouvait avoir voix au chapitre.

— Mon neveu, à Tamghist. Je ne sais pas s'il
voudra que je m'en aille.

Auligny finit par comprendre que son « neveu »
était son oncle, un frère de Regragui. Il avait
entendu parler de son « père-grand », ou de son
« grand-le-père » (grand-père), mort depuis peu ;
mais de l'oncle il n'avait jamais eu vent, et se
méfia. Les gamins du ksar, de n'importe lequel
de leurs copains, affirmaient mordicus : « C'est
mon frère. » L'oncle de Tamghist devait être un
parent dans ce genre-là. Ram battait trop des
paupières, en parlant de lui, pour ne mentir pas.
Il semblait à Auligny que dans tout ce qu'on lui
disait, à présent, il y avait une part de vérité,
une part de mensonge intéressé, et une part de
mensonge gratuit. Le tout faisant un filet inextri-
cable, où on l'entortillait.

— Mais comment saura-t-on s'il veut ou non,
s'il est à Tamghist?

— Il faut le lui demander.

— Naturellement, qu'il faut le lui demander !
Pourquoi m'avez-vous dit que c'était entendu,
quand soi-disant cela dépend de cette espèce
d'oncle? Et comment allez-vous le lui demander,
s'il est à Tamghist?

— Le lui demander?

— Oui, le lui demander.

— Je sais pas.

— Dis donc tout de suite que tu ne veux pas
venir, fit-il, exaspéré.

A son tour, elle jeta avec impatience :

— Qu'est-ce que tu parles aujourd'hui? Je comprends rien à ce que tu dis !

— Je parle comme toujours ! Et je te dis : comment allez-vous demander à ton oncle s'il accepte que tu partes, puisqu'il est à Tamghist?

— Il doit venir à Birbatine.

— Quand cela?

— Bientôt.

— Mais quand, « bientôt »?

— Bientôt !

— Bientôt ! Tout ça dans ie vague, toujours. Et si, moi, je recevais demain mon ordre de départ, tu ne partirais pas, parce que tu n'as pas le consentement de ton oncle?

— Eh non !... Les parents, c'est les parents.

Il eut envie de la mettre à la porte. Il comprenait maintenant qu'on pût battre un Arabe.

Nul doute que, lorsqu'elle ne comprenait pas ce qu'il disait, lorsqu'elle répétait : « Mon père à moi? » ou : « Le lui demander? », ce ne fût pure feinte : elle cherchait à gagner du temps pour fignoler son mensonge. Jadis, elle parlait un français fruste, mais presque convenable. Elle avait ensuite employé un style noble, où elle resservait, à tort et à travers, les expressions qu'elle venait d'apprendre d'Auligny. (« Comme tu es ponctuelle ! » Réponse : « Eh oui ! Il ne faut pas être hypocrite. ») Dans ce temps-là, quand elle ne comprenait pas, il la baisait, ou seulement lui souriait, et alors elle comprenait. Maintenant, tout s'obscurcissait : comme la seiche, elle jetait de l'encre autour de soi afin de se rendre insaisissable.

Pour que cela fût complet, elle se prit à bouder.
Auligny mit les pouces. A ses questions gentilles,
d'abord elle refusa de répondre autrement que
par un « Fâchés... » Puis elle dit violemment : « Moi,
je veux bien venir avec toi, et toi pourquoi tu me
casses la tête?... » Auligny fut stupéfait de cette
insolence que jamais elle n'avait eue, que jamais
il n'avait imaginé qu'elle pût avoir. Oh ! que tout
cela redevenait l'Europe !

Cela était évident, il la perdait. Le rayonnement
de cette petite fille était entré en lui sans jamais
rien briser, comme le soleil à travers une vitre, —
et maintenant la vitre était brisée. Sa lenteur, son
honnêteté, sa sorte d'épaisseur, tout lui donnait
un caractère de pérennité, — et elle disparaissait !
Mais non, il fallait se débattre ! Si l'oncle existait,
on pouvait envoyer Regragui à Tamghist par le
convoi qui passait dans trois jours. Auligny déclara
qu'il irait voir Regragui à une heure le lendemain,
pour le persuader de faire le trajet de Tamghist.
Que Regragui l'attendît donc avant de partir
pour la palmeraie.

Le lendemain, à une heure moins un quart, il
s'engageait, comme dans un tunnel d'ombre (elle
était recouverte de feuillage), dans la grande rue
du ksar, quand il vit arriver toute la famille, avec
le grand âne gris, se rendant à la palmeraie. Ainsi,
on ne l'avait pas attendu ! Il ne recevait que des
affronts de ces sauvages ! Avait-il assez répété :
« On fait tout pour empêcher l'indigène de relever
la tête » ! Mais comment, en cet instant, n'eût-il
pas songé : « On n'en fait pas encore assez »?
Qu'il eût eu de joie à les faire rentrer sous

terre ! Quel prix cela se paie, d'aimer quelqu'un !

Quand elle aperçut le lieutenant, Ram lui fit un sourire vague. Auligny attendit que le groupe fût sorti du ksar, et aborda le vieux, qui finochait ferme et ne s'arrêta pas. A la question d'Auligny, il dit que cela dépendait de Ram. Ram dit qu'elle « ne savait pas ». Ensuite : « Quatre mois, c'est trop long. — Mais il n'a jamais été question de quatre mois ! J'ai proposé : Trois. — Trois, alors, ça va. » Puis elle ne dit plus rien, et ils continuèrent de marcher en silence, Bou Djemaa le premier, Ram au flanc de l'âne, Regragui et Auligny derrière, Auligny faisant garde-freins.

Comment ne leur donna-t-il pas l'ordre de s'arrêter ? C'est incompréhensible, mais c'est ainsi. Regragui s'était accroché d'une main à la queue de l'âne et se faisait traîner : il allait de plus en plus vite. A un moment, Ram parla à son père avec violence ; jamais Auligny ne lui avait vu cette expression de sauvage colère. D'un doigt elle indiqua sa tempe ; c'était un geste que depuis peu elle faisait souvent, pour dire qu'elle n'avait pas compris, ou qu'elle avait oublié, ou qu'un tel était fou, ou qu'elle-même était folle. Qui était fou, cette fois ? Regragui ? Lui, Auligny, plutôt. Et Auligny trottait, sans qu'aucun d'eux parût le voir, plus esclave et plus misérable que l'âne.

— Enfin, quand aurai-je une réponse ferme ?

— Une réponse pour quoi ?

— Comment, pour quoi ? Mais pour ton départ, voyons !

Elle parut réfléchir et dit :

— C'est que, dans les souks d'une grande ville, si petite, je me perdrai...

Cet enfantillage ! Cette absurdité ! La palmeraie se rapprochait, tout le sous-bois noyé dans la fumée bleue des feux, de sorte que la masse des palmes semblait une nuée sombre suspendue à quelques mètres du sol. Auligny s'était enfin mis au pas du vieux, et lui baragouinait Dieu sait quoi, car l'émotion lui faisait parler un arabe de plus en plus impossible. Il lui expliquait des choses qui engageaient tout son avenir, en employant des mots impropres, ou qui n'avaient aucun sens, et en le sachant. Comme l'autre jour, le vieux ne cessait de lui dérober son regard, — ses prunelles dures, ses cornées presque aussi sombres que son teint. Que cela était visible, qu'il ne l'aimait pas ! Ce vieil homme paraissait redoutable à Auligny. Il le voyait lui jetant au visage : « Qu'as-tu fait de mon enfant ? » Il en venait à être irrité à la pensée que Regragui aimait sa fille. Parfois le lieutenant disait une phrase en français, qu'il invitait Ram à traduire pour son père, et il se persuadait qu'elle ne la traduisait pas. Le vieux répondait à sa fille. Auligny demandait : « Qu'est-ce qu'il dit ? », convaincu que Ram allait répondre n'importe quoi. Il pressentait qu'on le trompait, qu'on le méprisait, qu'on l'injuriait peut-être, dans cette langue dont il n'entendait plus rien ; cependant il ne pouvait en être sûr.

Arrivés à la palmeraie, Auligny redevint lui-même, et leur commanda de s'arrêter. Excédé, ne voulant plus adresser la parole à Regragui, il pria Ram de venir le lendemain à 6 heures à la

maison Yahia : elle dirait si son père, oui ou non,
allait à Tamghist. Si elle ne venait pas, ce serait
fini entre eux deux. Tandis qu'il lui parlait, Ram
s'était rapprochée de son père, et elle avait posé
la plante de son pied nu sur le pied nu de son père,
en un geste où Auligny vit une complicité, qu'il
qualifia de sordide, une complicité dirigée contre
lui. Puis, s'éloignant, il alla s'asseoir sur le remblai
de sable qui bordait la palmeraie, dans un égare-
ment de tristesse.

Auligny assistait, le visage sombre, à la destruc-
tion de ce qui avait été si accompli. C'était comme
s'il avait repris un dessin de Ram et, le déformant
trait par trait, en avait fait une caricature. Ram
défigurait le passé. Elle substituait à une image
exquise une image équivoque et en certains points
odieuse. (Mais lui, le lieutenant Auligny, aux yeux
des siens, n'avait-il pas substitué en ce qui le
concernait une image à une autre, et une image qui
ne pouvait que les horrifier?) Ces minutes où,
dans la poussière, dans le bled repoussant, à
vau-l'eau toute la discrétion qu'ils avaient observée
pendant sept mois, il avait trottiné derrière elle
— oui, l'enfant Bou Djemaa, et elle, et le bourrin,
et le vieux marchaient *naturellement* plus vite que
lui ! — elle frappant le bourrin, mais en même
temps le frappant, lui, trottiné derrière elle avec
son âme tombée de sa poitrine et qui se traînait
derrière lui comme un chien, ces minutes avaient
mis entre lui et elle un rempart d'horreur. Le
souvenir même du passé lui était interdit ; il ne
faisait que lui rappeler que ce passé avait été mis
en pièces. Il ne pourrait même plus regarder ses

photographies, qui tant de fois lui avaient été
un bienfait, à présent une source d'amertume.
Tant de douceur était perdue.

Les lointains s'affaiblissaient derrière une brume
de sable qui voilait complètement le pied des dunes.
Des armées de grains de sable gravissaient les
ondulations et disparaissaient de l'autre côté. Des
chechs blancs volaient sur le ciel qu'ils rendaient
plus gris. Un aigle planait immobile, les ailes
étendues, comme cloué contre ce ciel mort. Le
sirli mâle faisait son cri d'une désolation sans
bornes : un appel monotone tant que l'oiseau restait tapi dans le drinn ; puis il piquait droit en
l'air, en chantant une gamme montante ; puis,
jetant une gamme descendante avec une rapidité
folle, il tombait comme foudroyé. Que de choses,
avec ce cri, retombaient foudroyées ! Pour Auligny, c'était moins un être qui disparaissait qu'une
croyance, une espérance, une grande illusion. En
lui-même, absurdement, il brodait sur le thème :
« Orient ! Orient ! père de la trahison ! » comme si
des milliards de femmes de toutes les races
n'avaient pas agi comme Ram, et été justifiées
à le faire ; avec un peu de littérature à la clef, il
eût évoqué Antoine et Cléopâtre, et se fût nommé,
lui aussi, « le fou de la prostituée égyptienne. »
Tout ce qui, pour lui, soutenait l'Afrique, était
retiré. Maintenant, quelle aridité ! Birbatine, le
désert, n'étaient plus que Birbatine et le désert,
c'est-à-dire l'enfer. Sa main rencontra dans sa
poche un de ces feuillets sur lesquels, depuis six
mois, il transcrivait en regard de mots français
des mots arabes qu'il voulait apprendre. A quoi

lui servirait-il à présent de savoir l'arabe? S'il cherchait à le savoir, c'était pour le parler avec elle. Il froissa le feuillet, le jeta, comme on jette son billet à la sortie du spectacle. A voix haute, il balbutiait des phrases saccadées : « Je l'isolais de tous… Aux moments où je voyais ce que sont en réalité ses frères de race, je disais : « Il sera pardonné à tous à cause de la douceur d'une seule… » Tu me fais avoir honte de moi-même. J'ai honte de ces baisers que je te donnais, — non de ceux donnés à ton corps, mais de ceux donnés à ton visage… » Il revint ivre de peine. Pour la première fois de sa vie, peut-être, il ne rendit pas son salut au factionnaire qui lui présentait les armes. Il essayait de se secouer : « Allons, soyons un homme ! » Mais il sentait que sa démarche était devenue traînante, que son dos s'était voûté. Il lui semblait qu'on le regardait, — que c'étaient ses yeux surtout qui avouaient tout, et demandaient quelque chose.

Le lendemain, Auligny attendait Ram. Il lui avait donné rendez-vous à 6 heures. A 5 heures et demie, il commença d'être malheureux : elle n'était pas là ! Il avait été entrouvrir la porte de la courelle, se disant que le loquet pouvait se fausser, qu'alors elle n'oserait frapper, etc… : telle était sa déraison. Par cette porte entrouverte un chien entra, fit quelques pas dans la courelle, aperçut Auligny, eut un bref jappement de surprise, et s'enfuit épouvanté. L'air tantôt ouvrait, tantôt refermait vivement cette porte, et alors Auligny sursautait. Il touchait le fond de la détresse. Barré

en arrière, barré en avant, se sacrifiant pour
quelque chose dont il doutait, qu'avec son éducation, à aucun moment, il n'ait murmuré : « Mon
Dieu ! », cela prouve ce que valait cette éducation,
du point de vue chrétien. Et c'était maintenant,
pour une femme en retard, qu'il le murmurait :
« Mon Dieu, faites qu'elle vienne ! » Dieu ne fut
pas suffisant. Il aperçut un fer à cheval que, du
fondouk, quelqu'un avait accroché au mur de la
maison. Il hésita une seconde, puis le toucha du
doigt, rapidement.

Six heures et demie. Elle ne viendrait pas, — et il
avait apporté pour elle ce fruit confit (provenant
d'un colis de sa mère) ! Une liaison qui mourait
par « lapins », ah ! c'était trop l'Europe ! Un coq
entra, mais bientôt détala lui aussi, poursuivi par
un moineau. Puis un chat, qui partit cauteleuse-
ment à la découverte de la courelle, vit Auligny
et continua. Il y avait quelque chose de mystérieux et de saisissant dans ces bêtes qui entraient
là comme chez elles, comme un symbole de ce qui
en lui était ouvert à n'importe quoi, toutes défenses enfoncées. Montant du fondouk voisin, les
braiements des ânes se mêlaient aux gémissements
de son cœur. Jamais comme aujourd'hui il n'avait
senti ce qu'il y a de pathétique, de *heart-broken*
dans le braiement d'un âne. Ah ! songeait-il, tout
cela est bien semblable. Par une lucarne, il les
voyait, tellement proches de lui, sur le même plan
que lui, comme d'autres lui-même tristes. L'un
avait le membre au vent : « Voilà l'amour, » se dit
Auligny. Ils se rendaient des services réciproques,
se frottaient, se léchaient entre eux : « Voilà l'al-

truisme. » On ne leur avait pas plus tôt donné à manger qu'ils faisaient leurs crottes, comme si une matière poussait l'autre : « Ainsi une autre femme me remplacera Ram. » (Il essaya de fixer sa pensée là-dessus et d'y puiser une consolation.) Un chien mangeait des excréments. Un chameau goudronné, portant au cou un sabot d'âne comme amulette, avait l'air de dire : « Regardez ce qu'on me force à porter ! Et c'est moi qu'on traite de bête ! » D'un vieux chaudron partaient de longues ficelles, dont chacune aboutissait à une « femme du coq », attachée par la patte, et les poules avaient si bien emmêlé leurs ficelles qu'elles ne pouvaient plus faire un pas, et, collées l'une contre l'autre, elles se dévoraient mutuellement, la terreur dans l'œil. Un âcre sarcasme se dessinait en Auligny, le profond besoin de se rendre l'égal de ces animaux hébétés et de confondre eux et lui dans le même grotesque, — la joie qu'ont ceux qui souffrent de blasphémer la création.

Comment avait-il pu en douter? Ram et son père étaient d'accord pour que tout cela finît. Qui sait, peut-être n'avait-elle accepté le rendez-vous d'aujourd'hui que pour lui donner la déception de n'y venir pas. (Ainsi divaguait-il.) Alors? La convaincre à force d'amour? Il n'avait plus assez d'amour. Convaincre le vieux à force d'argent? Eh bien! non. Il avait atteint le point le plus bas où il pouvait descendre ; il n'irait pas plus bas. Sa dignité frémissait, se débattait comme une bête qu'on saigne. Il ricana, plaisantant, mais ne plaisantant qu'à demi : « Naturellement, il n'y aurait qu'à l'emmener de force. Il ferait beau voir qu'un bicot me gênât ! »

Ce qui montait en lui maintenant, comme des bulles, c'était tout ce qu'il y avait en elle qui justifiait qu'il l'eût aimée, des mots, des gestes, et il se jetait dessus pour s'y meurtrir. Elle était là, à cette heure, à trois cents mètres de lui, dans sa tanière de bête, elle dormait, petite fille aux fesses fraîches (même par cette chaleur), elle dormait, la main sur son sexe, la bouche entrouverte, un filet de salive tendu entre les deux lèvres, comme cette dernière fois où il l'avait vue dormir, ses bras ramenés sur sa poitrine, — et ses mains, qu'elle venait pourtant de laver, étaient presque noires sur la blancheur du drap, ses grandes mains si peu arabes, ses grandes mains sombres de travail, à la paume claire une espérance, comme une aube après la nuit dure ! Non, non, jamais, aux moments où il se sentait le plus heureux, il n'avait su à quel point c'était alors le bonheur ; c'était maintenant seulement qu'il le savait. Tant de fois elle avait passé ce seuil ! Il y avait quelque chose de fantastique à penser que ces lieux étaient ceux où elle avait bougé tant de fois. Quelque chose de fantastique à se dire qu'hier elle était si mêlée à ce décor, si habituelle, si banale, qu'il faisait à peine attention à sa présence, au bruit du loquet qu'elle ouvrait, — et maintenant lointaine, étrangère, précieuse comme un peu d'eau pure, difficile à atteindre comme Sirius... Là, dans cette pièce même, il lui avait dit qu'il ne pourrait pas la voir avant quatre jours, parce que le capitaine venait, parce qu'il avait beaucoup à faire, tout cela des blagues. Là, il avait murmuré : « Soyons francs,

elle est une déception. » Là, quand elle était en
retard de cinq minutes, il lui était arrivé, pensant
déjà — espérant déjà — qu'elle ne viendrait pas,
de joyeusement se mettre à ses paperasses professionnelles, et d'avoir un mouvement de contrariété quand il l'avait vue apparaître... Et cela,
quand? Il y a des années? Non, il y a quinze jours.
Et, là aussi, il avait été tout détenu par ses idées
de justice et de vérité. Qu'importaient la justice
et la vérité auprès de cette petite vie qui se déro-
bait, on ne savait pourquoi, quand on ne lui voulait que du bien? Qu'importaient les grandes questions? — Et qu'importait le désir même? Il n'y
avait que ceci : un être qui a de la tendresse pour
un autre être. « Tant que l'on n'aime pas, la sensualité peut vous faire illusion. Sitôt que l'on aime,
on sait qu'elle n'est rien. Ce n'est pas de son corps
que j'ai joui, c'est de la tendresse et de l'estime
que j'ai eus pour elle. Hélas ! je suis un senti-
mental. »

XII

Le cœur d'Auligny battit quand, le lendemain, il la vit, seule, sortir du ksar. Elle feignit de ne le voir pas, et lui, oubliant qu'il la louait sans cesse de sa discrétion, il fut blessé par cette attitude. Il l'aborda :

— Je pense que c'est fini...

— Quoi, c'est fini?

— Tu ne viendras plus chez moi.

— Mais si, quand vous voulez.

— Je ne te crois plus.

— Tout de suite, si vous voulez.

Cela même qu'elle avait répondu dans la palmeraie, le jour où elle s'était donnée !

— Marche derrière moi, dit-il d'une voix tremblante, et il se dirigea vers la maison Yahia.

Il pensait qu'elle se déroberait, mais elle entra derrière lui dans la maison.

Le premier geste d'Auligny fut de prendre un cachet, car il avait la migraine. Elle le regarda faire avec extase, puis voulut, elle aussi, avaler un « petit blanc ».

— Pourquoi? Tu es malade?

Elle eut une réponse de petite paysanne française :

— Je n'ai rien mangé pour être malade.

Elle ajouta :

— Jamais, jamais je n'ai été malade.

— C'est Dieu qui l'a voulu, dit Auligny, qui avait appris auprès de Ram à faire intervenir Dieu dans son langage, comme un père apprend à employer ce nom dans sa conversation avec ses petits enfants. Et tout de suite il en avait abusé, disant : « Dieu sera content » ou « Dieu ne sera pas content », selon que lui, Auligny, eût été content ou mécontent qu'elle fît quelque chose. C'était sentir en dirigeant le rôle de Dieu dans la société.

Comme on le pense, et bien que touché par l'intonation ravissante de ses : « Je t'en prie ! », il refusa de lui laisser prendre un « petit blanc ». Et il se moquait d'elle. Mais alors, brusquement, elle se ferma : de nouveau elle boudait. C'était donc à présent une habitude, et leurs rencontres n'allaient plus être pour lui qu'une navigation pleine d'écueils, puisque le prétexte le plus futile suffisait à déclencher sur ses traits cette expression dure et sournoise !

Cependant, après qu'il l'eut flattée un peu, elle s'éclaira. Et lui, songeant aux terribles fâcheries d'une maîtresse qu'il avait eue, qui duraient deux, trois jours, pendant lesquels elle était capable de tout, il était attendri que Ram ne pût pas *tenir* plus de cinq minutes. Et maintenant, honteuse, elle enfouissait son visage dans la couverture du lit, tandis que, les bras en avant, elle jouait avec les mains d'Auligny, en une effusion où il n'y avait rien des faussetés de la courtisane, mais une câlinerie authentique d'enfant.

Ah ! pourquoi cette gentillesse imprévue? Depuis trois jours il s'efforçait à l'indifférence, et elle l'y aidait. Et voici qu'il fallait repartir dans la direction opposée. Voici que cette gentillesse créait pour l'avenir un surcroît de regrets. Tout ce qui affluait en lui, pour elle, c'étaient des raisons de pitié : de nouveau renaissait en lui ce mal abominable qu'il avait cru étouffé. Il ne la trouvait plus jolie. Il se rappelait cette scène qu'il avait aperçue l'avant-veille, devant la palmeraie, après qu'ils se furent quittés : l'âne avait refusé de franchir l'oued, où par hasard coulait un peu d'eau, si elle ne passait pas la première. L'âne lui-même lui cédant le rôle des ilotes, le rôle des vies sacrifiées ! Pauvre créature qui avait fait sa petite flamme de grâce et de générosité, puis s'éteignait ou allait s'éteindre pour toujours, rendue à son hébétude originelle : mariée demain à quelque bougre impossible, — se suspendant à une corde pendant les douleurs (*Ya Rebbi!*), — accouchant au milieu de vieilles sorcières ignares et folles, — traînant un bébé que l'eau ne toucherait jamais, parce que dans l'eau il y a des génies malfaisants, et qu'on accrocherait la tête en bas pour le fortifier... Mais, plus que tout, ce qui l'emplissait de mélancolie, c'était que, dans le même temps où il souffrait qu'elle refusât de venir, il sentait que, si demain elle acceptait, il la trouverait bien lourde, cette Ram nouvelle, ronchonneuse et fuyante, et qui l'avait humilié. Et, dans un repli de lui-même, il souhaitait qu'elle ne changeât pas d'avis. Alors il se souvenait d'une phrase de Poillet : « Les femmes arabes, on peut toujours les semer facilement... » Et sa pitié, de nouveau, sautait comme une flamme.

Leurs caresses languirent. Son vœu unique eût été de pouvoir la regarder sans arrière-pensée, et et il ne le pouvait plus. Si ce petit être n'était pas pour lui un nid de sécurité, que lui importait le coït imbécile, ce pis aller de l'amour ! Il eut la prise maussade, et Dieu sait que cet ordre de faits ne supporte pas la médiocrité. Le cœur n'y était plus, et on l'a dit magnifiquement, dans la phrase la plus simple : « Les sensations ne sont que ce que le cœur les fait être. » (Rousseau.) C'était peut-être la dernière fois qu'il la voyait, et cependant il avait hâte d'être seul. Étendus sur le lit, il se savait un visage si sombre qu'il l'avait détourné, pour qu'elle ne le vît pas. Il se forçait pour lui faire une petite caresse, avec le pouce, dans la paume de la main. Mais, quand elle se mit à y répondre par une caresse semblable, il flaira le factice, et bientôt retira sa main. Et ils restèrent au flanc l'un de l'autre, sans se toucher, comme deux gisants de pierre sur un tombeau.

Son esprit s'envola. Même auprès de l'être que nous aimons le plus, sa tête sur notre poitrine, au cours d'une nuit attendue depuis des mois, et quand le bonheur qu'il vient de nous permettre a comblé chaque fois notre espérance, même alors il nous arrive, les sens apaisés, les yeux au loin, de nous trouver à mille lieues de lui, que nous tenons dans nos bras. Auligny, au flanc de Ram, songeait à la France, à tout ce qui la menaçait de par le monde, comme il eût songé à sa mère, **si** elle avait été, dans cet instant, en train de subir une opération.

Du fond de ce silence, tout à coup, la voix de Ram s'élève :

— Vous avez été en Chine?

— Comment?

— En Chine. Plus loin que les Allemands.

— Mais non, voyons ! Mais non !

— Pourquoi?

(Ses exquis, ses inoubliables « pourquoi », sur deux notes, comme un cri d'oiseau. Ses « pourquoi » toujours à contretemps, désarmants d'incongruité…)

— Comme tu es bête, ma petite Ram ! Comme tu es bête !

— Vous savez bien qu'ils sont bêtes, les Arabes…

Un mot, un seul mot, et en lui la pitié s'était rouverte, comme une horrible plaie. Oh ! il ne l'avait pas aimée assez. Tout à l'heure, il croyait avoir pitié d'elle pour ceci ou pour cela, et il avait pitié d'elle seulement parce qu'il sentait qu'il ne l'aimait pas assez. Et son âme, réveillée, criait son cri du premier jour : « Réparation ! Réparation ! », tandis qu'en dessous passaient tristement, comme un fleuve continu et contraire, toutes les raisons qu'il y avait pour qu'elle, et ses frères de race, ne fussent pas davantage aimés.

Il lui dit qu'il était bien coupable envers elle, qu'il n'avait pas fait ce qu'il aurait dû, et d'autres paroles qui semblaient n'être pas adressées à elle, mais à des femmes de son passé, assises sur une rive lointaine. La pitié se soulevait douloureusement en lui, comme dans la femme le fruit de ses

entrailles, et dans l'homme celui de son esprit, —
un monstre fait de pitié, d'amour vague et de
sacrifice, moitié fumée, moitié spectre, une chose
sans nom de faiblesse et de force, qui crevait en
lui ses assises, du mouvement dont les racines
crèvent la terre. Elle, tantôt ses yeux noirs le
regardaient sans expression, tantôt elle les fermait
comme font les bêtes. Ses bracelets brillaient
comme de l'eau dans le crépuscule. La nuit se
faisait. Une lumière s'allumait dans le ksar. Du
fossé de la kasba, un chant d'oiseau montait, qui
se terminait par un cri frénétique. Il lui dit qu'elle
pouvait partir.

Presque bouche à bouche, leurs yeux grands
ouverts, il voyait ses yeux tout proches des siens,
comme dans un gros plan de film. Que ne pouvait-
on faire une coupe dans une âme, fût-ce pendant
un seul instant ! Mais à quoi bon ? Il savait ce
qui se passait dans celle de Ram, et il était pénétré
de tout ce qu'il y a de poignant et d'âcre à serrer
dans ses bras quelqu'un qu'on sait qui vous
trompe. Elle lui donna un baiser long et profond,
où il sentit qu'elle lui retournait sa pitié. Il lui
sembla que dans ce baiser elle lui disait : « Je te
peine en refusant de te suivre, et je te trompe en
te cachant que nous nous voyons pour la dernière
fois. Mais, dans ce baiser, découvre au moins que
je te plains de ce que je te fais. »

— Quand vous voulez que je revienne ? de-
manda-t-elle, déjà noyée et distante, pâlie par
les vents chargés de sables, profondément recouverte de passé.

— Quand veux-tu revenir ?

— Quand vous voulez.

— Demain, alors, à la même heure, murmura-t-il, la voix blanche, sans croire et sans espérer qu'elle viendrait, le visage déformé par l'amertume.

Lorsqu'elle fut au milieu de la courelle, il eut un sursaut :

— Ram, il faut que je sache. Oui ou non, m'accompagnes-tu dans le Nord? Si tu ne peux pas ou ne veux pas, je trouverai cela très naturel — oui, je t'assure, très naturel, — et nous resterons toujours camarades. Mais il faut que je sache.

— Eh bien ! je vais te dire la vérité...

Il respira. Enfin, elle avouait. Et une certitude pénible est moins pénible que l'incertitude.

Elle acheva :

— Je t'accompagne.

Le lendemain, il l'attendit. Mais elle ne vint pas.

Tout l'effort d'Auligny, durant les journées qui suivirent, fut pour oublier Ram. Il renonça à elle, se sentit en paix, et, voulant profiter de cette bonace, qui risquait de se déchirer en un rien de temps, dans un accès de sa hardiesse à saccades il télégraphia au capitaine de Tilly. Il lui confirmait son mauvais état, qui lui interdisait, affirmait-il, de pouvoir compter sur soi en cas d'alerte, et il demandait son déplacement à bref délai.

Il regardait maintenant ses hommes comme on regarde ce qu'on quitte.

Il y a une couple d'années, à la suite d'une affaire où tout du long il s'était conduit à son honneur,

un de ses hommes, autour de qui tournait l'affaire,
lui avait dit : « Mon lieutenant, tout de même,
vous êtes un chic type. » Mais dans un élan, une
fougue de vérité, Auligny avait répondu :

— Si je suis un chic type, c'est pour des choses
que vous ne savez pas, et non pour celles que vous
savez.

Et tout de suite il avait ajouté, voulant serrer
de plus près encore ce qui est :

— Mais j'ai aussi beaucoup de choses mauvaises.
En réalité, je ne suis pas différent des autres.

Car il n'avait jamais éprouvé de plaisir à faire
le bien. Il avait peur de s'y complaire. Lorsqu'il
avait fait quelque chose de bien, sa seule pensée
était de l'oublier au plus vite ; il était honteux,
avait envie de se cacher.

Mais, à cette heure, il était si démuni de quoi
que ce fût au monde qui lui fût agréable, qu'il
regrettait qu'il ne se trouvât personne, à Birbatine, pour lui dire : « Tout de même, vous êtes
un chic type. » Sur quoi se fondait-il pour prétendre
à pareil témoignage? Qu'avait-il fait de plus que
les autres? Ici, il avait fait plus, et là moins. En
bien des points, il avait fait moins que Ménage.
Cependant, il souhaitait une attestation qu'il
avait fait de son mieux. — Alors un scrupule lui
venait : « Avoir été gentil avec eux, ce n'était
peut-être que pour qu'ils me le rendent... »

Qu'était son expérience auprès de ses hommes
indigènes, sinon un échec? Entre ses sentiments
à l'égard des indigènes, et sa conduite avec eux,
il y avait toujours eu quelque chose qui jouait.
Par exemple, s'il remettait sa punition à un homme,

cet acte passait inaperçu, était comme résorbé. Au contraire, qu'il punît, ou seulement refusât une faveur, cela se voyait avec éclat. N'omettons pas, en outre, cette règle générale : qu'on vous critique moins quand vous ne faites rien, que lorsque vous en faites un peu. Quand vous ne faites rien, on en prend vite son parti, cela devient une situation acquise. Quand vous en faites un peu, on mesure, et on trouve que ce n'est pas assez. Et Auligny en avait fait un peu.

Il était le contraire d'un chef qui parle à l'imagination des indigènes. Il avait été faible avec eux. Il avait omis de substituer une volonté à leur défaut d'initiative, quelque chose de solide à leur mobilité et à leur évanescence ; oublié que l'Arabe aime mieux en faire plus, et le faire commandé, qu'en faire moins, mais livré à lui-même. (Et pourtant il avait écrit justement, dans son Journal de bordj, — mais sans tirer parti de cette observation dans la vie : « L'homme arabe est comme le cheval arabe : s'il n'est pas dirigé, c'est un corps sans âme. » (Il s'était d'ailleurs empressé de barrer cette remarque, car tel est le génie des gens qui ne savent pas « écrire », qu'ils se roulent, comme des pourceaux, dans la fange de l'expression insipide, mais barrent impitoyablement ce qu'ils ont écrit par hasard d'un trait un peu fort et original.) C'était pour lui une dure humiliation, de se rendre compte qu'au début ses hommes se conduisaient bien, simplement parce qu'ils ne le connaissaient pas encore, tandis qu'à présent ils donnaient à redire, parce qu'il les avait gâtés. Le mauvais caractère de Ram était l'œuvre de la « gentillesse » d'Auligny, tout de même que le relâchement des hommes était son œuvre. Et il n'avait pas même la ressource de prendre le genre imperator, consolation des impuissants (« J'aime qu'on ait le verbe haut ! » s'écriait un jour Mme Auligny, avec sa vibration spéciale), mais pour lequel il n'était pas disposé.

Il avait échoué à s'attacher Ram. A créer chez ses hommes ce bel alliage de dévouement et de respect qu'il est plus facile, pourtant, de créer chez le soldat arabe que chez tout autre. A se faire reconnaître par Yahia pour un ami des indigènes, puisque Yahia *n'entendait pas* quand Auligny faisait le panégyrique des musulmans, et entendait quand il se permettait sur eux la moindre critique. Il avait même échoué à séduire Regragui, le vieux crocodile. Il se rendait compte de tout cela. Et, avec hargne, il se retournait contre le commandement. « Comment envoie-t-on ici des officiers qui ne savent pas l'arabe, n'ont aucune préparation ? Quel contact veut-on qu'il y ait entre eux et l'indigène ? »

Il lui était venu comme une obsession, que ses hommes riaient derrière son dos, daubaient sur sa faiblesse. Elle lui était venue depuis que si visiblement Ram et son père avaient dit du mal de lui, devant lui, en une langue dont presque tout lui échappait. C'était au point que, chaque fois qu'il ne comprenait pas ce que disaient des indigènes, il s'imaginait qu'ils insultaient les Français. Il hésita même s'il n'allait pas interdire à son ordonnance et à son boy de se parler en arabe quand ils se rencontraient autour de la table durant le service, et ne sentit qu'à temps qu'il faisait naître la pensée de l'insulte en la supposant ainsi.

La voie bouchée du côté de Ram et des indigènes, son frémissant besoin de sympathie se tourna vers ceux de sa race. Sa sensibilité se regroupa sur un point nouveau. Comme il se réveillait trois, quatre fois en une nuit, souvent baigné de sueur (et dans chacun de ces petits sommes un rêve particulier, tous côte à côte comme des images d'Épinal sur une feuille), durant ces insomnies, il allait dans la salle la plus reculée de son être. C'est un lieu de silence et de douleur, un prétoire sans crucifix, sans assistance et sans juges, où nous nous convoquons nous-même, où nous pesons notre bien et notre mal, finalement si peu différents l'un de l'autre. Les sous-officiers, Tilly, ses camarades entr'aperçus ici, les avait-il épaulés? Ou seulement jugés à leur valeur? Non. Quand il est si difficile de construire quoi que ce soit, et si facile de critiquer. Quand c'est une loi si inséparable de toute action, que les difficultés qu'on a eu à surmonter ne soient jamais connues. Cette idée croissait en lui, qui déjà l'avait effleuré durant son grand abandonnement de la canicule, que sur toute la ligne il avait été inférieur à sa tâche (il avait été surtout à côté de sa tâche). Il ne se reprochait pas d'avoir fixé les yeux de préférence sur les indigènes, et d'avoir vu en eux ce que tant d'autres n'y voient pas. Mais par quelle aberration n'avait-il vu qu'eux, et avait-il oublié les siens? Par quelle dualité monstrueuse, aimant son pays comme il l'aimait, avait-il accueilli d'une âme si avide tout ce qui pouvait faire flèche contre lui?

« Et pourtant, je ne suis pas mauvais, » se répétait-il, en petit garçon qui, malgré tout, se sent un peu perdu quand il n'est plus aux entours de la maison paternelle. Et il évoquait ce monument voisin de Birbatine, élevé à la mémoire de légionnaires tués, et dont l'inscription « Honneur et Patrie » avait été peu à peu rongée par le sable. Ne s'était-elle pas effacée de même dans son cœur ? Il bénissait alors l'atmosphère urbaine où il allait se trouver. Il verrait des gens intelligents. Il causerait avec eux de toutes ces choses qu'il n'avait connues que par ses songes, dans les fumées de la solitude et des livres, dans les brumes du vent de sable. — Mais il avait à subir encore bien des métamorphoses.

Et tout cela, hélas ! naissait misérablement de l'abandon de Ram, comme son amour pour les indigènes était né de son amour pour Ram.

En même temps, il flairait qu'autour de lui on ne prenait pas très au sérieux les raisons de santé qui le faisaient évacuer. Il n'aurait eu qu'un mot à dire : « Je ne marche pas parce que c'est contraire à ma conscience. » Mais il préférait passer pour un lâche, à confesser des opinions qui n'étaient pas les opinions officielles. On met son courage où l'on peut.

Auligny, lorsqu'il envoyait son télégramme au capitaine, croyait qu'il faudrait longtemps, un mois peut-être, pour qu'il fût touché par un ordre de départ. Quand, huit jours plus tard, il reçut une note lui mandant de quitter Birbatine par le convoi de mardi, après avoir transmis les fonctions à Poillet, et de se rendre à Fez, à la portion centrale de son régiment, pour s'y mettre à la disposition de son colonel, il fut suffoqué, et pressentit le pire, qui était en effet.

Sans cesse maintenant, l'image de Ram remontait en lui. Il essayait de l'enfoncer, comme on enfonce un noyé qui s'accroche, mais toujours elle reparaissait. Et, dans le même temps qu'il voulait l'effacer, le moment où ce visage lui échapperait à jamais lui était d'avance atroce. Ram ! Il l'innocentait à tâtons. C'était son père qui n'avait pas voulu... C'était elle qui avait oublié le rendez-vous... Non, elle n'avait pas bien agi. Mais elle aurait pu être tellement pire ! Le vieux lui aussi aurait pu être exigeant : la virginité se paie, d'ordinaire... Avec démesure il agrandissait ce qui était attachant en elle. Songer qu'elle ne prononçait jamais une parole sans sourire, comme si l'acte d'ouvrir la bouche déclenchait automatiquement ce sourire ! Et son rire quand il lui avait appris à faire craquer ses doigts, ou quand, sur une enveloppe, il collait le timbre un peu de travers ! Sa tristesse le jour où un chien avait mangé ses babouches (des babouches il n'était rien resté). Son attention quand elle le regardait écrire, comme fait un chat, avec des remarques qui eussent pu être faites par un chat, s'il avait parlé. Et tout ce qu'Auligny appelait son « genre Comédie-Française » : ses « Ah ! » à faire sécher de jalousie une jeune première, — l'intonation ravissante, le charme étonnant de ses « Pourquoi? », — la force pathétique de ses « Je t'en prie ! » (toujours pour des riens), — et ses phrases d'ingénue de théâtre :

« C'est que, dans les souks d'une grande ville, si petite, je me perdrai, » ou celle qu'elle avait dite en contemplant les pauvres objets de sa chambre : « Tout ce que je vois chez vous m'étonne... » Cette phrase-là ! Il suffisait à Auligny de se la murmurer en soi-même, et il lui pardonnait ce qu'il n'avait pu encore pardonner. « Tout ce que je vois chez vous m'étonne... »

Il n'avait pas cherché à revoir Ram. Il ne put supporter de partir ainsi, et alla traîner dans le ksar, à proximité de sa case. Tout de suite il l'aperçut, qui causait avec le boucher. Il aborda celui-ci, et, feignant de ne pas connaître Ram, échangea avec lui quelques mots, où il lui fit savoir qu'il quittait Birbatine mardi. Puis il s'éloigna, de façon ostensible, dans la direction de la maison Yahia. « Elle aura compris le manège, et, si elle veut me revoir, me rejoindra d'un moment à l'autre. » Après avoir marché un peu, il prit prétexte d'un autre bonhomme qu'il rencontra pour s'arrêter, et, se tournant à demi, regarder du côté de Ram. Il vit alors qu'elle et le boucher avaient les yeux fixés sur lui, et qu'ils riaient.

Chaque fois qu'il avait aperçu Ram causant avec un indigène, homme ou femme, jeune ou vieux, il avait senti comme un serrement de cœur, horrifié qu'elle eût une vie personnelle, craignant tout de cette intimité de race, obligé de se défendre contre la pensée qu'elle parlait en ce moment-là de lui et contre lui. Mais, cette fois, aucun doute ! Non seulement elle avait parlé, mais elle l'avait fait avec méchanceté, puisqu'ils étaient là tous deux qui riaient. Cependant, Auligny ne souffrait

plus. Tout ce qu'il pouvait donner de souffrance
à cause d'elle, il l'avait donné. Au contraire, ce
nouveau rebut le consolidait dans sa paix. « Pas
de regrets ! » songeait-il. Mais il ne faut jamais
dire : « Douleur, je ne boirai plus de ton eau. »

L'avant-veille de son départ, Auligny voulut
donner à Ram une dernière chance. Il fit en sorte
de rencontrer Bou Djemaa — Bou Djemaa au
regard détourné, et toujours rougissant quand
Auligny lui adressait la parole — et lui dit : « Dis
à Rahma que le lieutenant part après-demain
par le convoi, et qu'il maintient tout ce qu'il lui
a proposé. Il sera demain à la maison Yahia à la
tombée de la nuit. » Il le faisait sans croire au
succès, et peut-être même sans le souhaiter ; simplement, pour avoir fait tout ce qu'il avait pu.
Et ce soir-là, comme les autres, Auligny resta
seul dans la maison Yahia.

Mais le lendemain, quand les moteurs du convoi
furent en marche, et quand il fut bien certain que
Ram ne viendrait pas, alors il eut un pincement
au cœur. C'en était donc fait ! Quel abandon ! Le
dernier — le dernier — mot qu'elle lui avait dit
avait été un mensonge : « Je viendrai. » Vraiment,
elle l'avait piétiné. Avec le bruit d'une heure qui
sonne, quelque chose, qui jusque-là restait malgré
tout en suspens, tombait dans le passé. En un instant, Birbatine et Ram, Ram et Birbatine, con-
fondus, devenaient un rêve, mais aussi un tout
délimité et fermé, sur lequel Auligny ne pouvait
plus rien.

FIN

PARIS

TYPOGRAPHIE PLON

8, rue Garancière

Dépôt légal : 1954.
Mise en vente : 1954.
Numéro de publication : 7580.
Numéro d'impression : 6548.
Nouveau tirage : 1954.